CONOCIENDO AL

ESPÍRITU
SANTO

JUAN CARLOS
HARRIGAN

Publicado por
Pastor JUAN CARLOS HARRIGAN

Primera Edición 2019
Segunda Edición 2023

Por: Pastor JUAN CARLOS HARRIGAN

Titulo publicado originalmente en español:
CONOCIENDO AL ESPÍRITU SANTO

Clasificación: Religioso

Para más información:

Pastor **JUAN CARLOS HARRIGAN**
Teléfono: (913) 549-3800
Email: libros@juancarlosharrigan.com
Webpage: www.juancarlosharrigan.com
Facebook: Pastor Juan Carlos Harrigan
YouTube: Juan Carlos Harrigan Oficial

CONOCIENDO AL
ESPÍRITU
SANTO

De: *Pastor Juan Carlos Harrigan*

Para:_____

AGRADECIMIENTO ▼

Doy gracias a **Dios**, el Padre, por escogerme desde la eternidad para poner un ministerio en mis manos.

A **Jesús**, mi Salvador, por morir en la cruz por todos nosotros.

Al **Espíritu Santo**, mi mejor amigo, mi guía y maestro, quien me ha inspirado a escribir este libro. ¡Para Él toda la Gloria por este logro!

A **Diana**, mi esposa, eje fundamental en mi vida y ministerio. Gracias a su compañía, apoyo y oraciones he podido desarrollar mi ministerio y vida en Dios.

A **Ismael**, **Samuel** y **Emmanuel**, mis hijos, mi mayor motivación para continuar y triunfar.

A **mi mamá** y a **mi papá** por cumplir el propósito del Padre de traerme a la vida.

A todos los amigos y hermanos de mi iglesia, *Casa de Dios para las naciones*, quienes me apoyan en el desarrollo del ministerio que Dios me ha confiado.

A todos, muchas gracias.

DEDICATORIA

Dedico este libro

A todos aquellos que anhelan conocer al Espíritu Santo, gozar de Su Presencia, Su guía, Su enseñanza y Sus cuidados.

A todos quienes desean fervientemente que cosas nuevas sean creadas dentro de su vida y poder experimentar emociones nuevas y frescas, que solo el Espíritu Santo puede lograr.

A aquellos que saben que, sin el Espíritu Santo de Dios en nosotros, no hay visión, no hay gozo, no hay paz, no hay milagros, no hay liberación y dedican su tiempo a buscarlo, a conocerlo y a recibirlo en su corazón.

A todos los pastores que anhelan tener un ministerio efectivo en la vida, y entienden que sin la unción del Espíritu Santo no es posible obtenerlo.

A quienes quieren conocerlo para amarlo y agradecerle todo lo que ha hecho por ellos.

«Y el Dios de esperanza os llene de todo gozo y paz en el creer, para que abundéis en esperanza por el poder del Espíritu Santo» **(Romanos 15:13)**.

CONTENIDO ▼

INTRODUCCIÓN ▼

«Cómo ungió Dios con el Espíritu Santo y con poder a Jesús de Nazaret, y cómo este anduvo haciendo bienes y sanando a todos los oprimidos por el diablo, porque Dios estaba con Él» **(Hechos 10:38)**.

Escribí este libro para presentarte al Todopoderoso, al que tiene la revelación escondida, al que nos muestra los tesoros escondidos: al *Espíritu Santo o* al *Espíritu de Dios*. A lo largo de estas páginas te enseñaré quién es el Espíritu Santo, qué representó en la vida y el ministerio de Jesús, y de qué manera puede influir en ti.

Aprenderás que es imposible tener un ministerio efectivo sin involucrarlo a Él. Necesitamos ser ungidos por el Espíritu Santo de Dios para lograr desarrollar nuestro ministerio de forma poderosa.

Jesús, el hijo de Dios, quien siempre habitó con el Padre, cuando vino a ejercer su ministerio en la tierra, necesitó ser ungido por el Espíritu Santo. De modo que, es imposible que nosotros podamos lograr cualquier propósito sin esa misma guía y ayuda.

Deseo que, a lo largo de estas enseñanzas, puedas recibir luz para operar milagros, señales y prodigios.

Recuerda que Jesús dijo: «*Las palabras que yo os hablo, no las hablo por mi propia cuenta, sino que el Padre que mora en mí, él hace las obras*» *(Juan 14:10)*.

Entonces, el que mora en ti es quien hace las obras, y ese es el Espíritu Santo. Esto es precioso y fundamental. Ese mismo Padre habita en nosotros. A causa de ello podemos operar los mismos milagros que el Maestro, porque Cristo mismo lo dijo: «*El que en mí cree, las obras que yo hago, él las hará también; y aún mayores hará, porque yo voy al Padre*» *(Juan 14:12)*.

En el transcurso de este libro analizaremos las distintas facetas del Espíritu Santo como: guía, maestro, ayudador y consolador. Cada una de ellas estará reforzada por referencias acerca de la presencia del Espíritu Santo en los tiempos bíblicos, y cómo también debe estar presente en nosotros en todo tiempo.

Muévete a través de la fe y no de la lógica humana, porque jamás podrás descifrar desde la razón los métodos de Dios, y solo será un obstáculo para que la fe manifieste sus frutos.

«*Mas el Consolador, el Espíritu Santo, a quien el Padre enviará en mi nombre, él os enseñará todas las cosas, y os recordará todo lo que yo os he dicho*» *(Juan 14:26)*.

Nos sumergiremos en la Palabra para conocer acerca de los dones del Espíritu Santo, sus características, cuáles de ellos poseían los personajes bíblicos y algunas experiencias actuales relacionadas con ellos.

Sé que unas cuántas páginas no son suficientes para conocer los dones del Espíritu Santo en profundidad, pero me enfocaré en los beneficios y las bendiciones que se desatarían si operáramos en esos dones. La Iglesia se desarrollaría a niveles extraordinarios. Habría miles de personas haciendo fila en la puerta de los templos para buscar la presencia de Dios.

«Así también vosotros; pues que anheláis dones espirituales, procurad abundar en ellos para edificación de la iglesia» **(1 Corintios 14:12)**.

No es coincidencia que estés leyendo este libro. El Espíritu Santo lo puso en tus manos, porque ha llegado el tiempo de que lo conozcas como tu amigo y tu ayudador.

> *¡Anímate! Léelo.*
> *Una gran aventura sobrenatural te espera.*

Capítulo I

Conocer al Espíritu Santo

«Su espíritu adornó los cielos, su mano creó la serpiente tortuosa»
(Job 26:13).

Buscas a Dios porque Él te buscó a ti primero. Si Él no te hubiese buscado, tú no hubieses tenido forma de encontrarlo.

Una de las mejores horas para buscar al Espíritu Santo es de madrugada. Una noche, durante uno de mis viajes, nació en mí un fuerte anhelo por conocer más del Espíritu Santo y me puse a orar. La noche siguiente tenía que predicar, y me encerré en la habitación del hotel, y dije: «Este día es solo de Él». Apagué el celular, me desconecté del mundo entero, aun de mis hijos, mi esposa, de todos. Ese tiempo era solo para Él.

Recuerdo que estaba orando, arrodillado en un sillón, y me dormí en un éxtasis. Luego de varias horas me desperté, pero no quería abrir los ojos porque sentía que mi cabeza estaba apoyada sobre dos piernas que no eran las mías. Dentro de mí, decía: «¡Dios mío!

¿Quién entró aquí? ¿Sobre quién está recostada mi cabeza?». No estaba consciente de lo que estaba pasando. Creía que alguien había entrado y al verme durmiendo de rodillas, puso mi cabeza sobre su regazo. Pero comencé a sentir que las piernas donde estaba mi cabeza apoyada subían y bajaban. En ese momento recordé que tiempo atrás, el Espíritu Santo me había dicho: «Si tú oras esta cantidad de horas al día, sucederá lo sobrenatural y te rodeará al instante». Hasta que de pronto oí cuando me dijo: «Soy yo». Era el Espíritu Santo.

Cuando finalmente abrí mis ojos y me levanté, caí rendido al piso y perdí la idea del tiempo. Se me fue la noción de la vida y entendí lo que era «la vida dentro de la vida». Al levantarme de esa experiencia fui a predicar al lugar donde me estaban esperando y un poder sobrenatural se manifestó allí.

Conocer al Espíritu Santo en intimidad es una de las mejores decisiones que puedes tomar. Y para ello es necesario saber lo que las Escrituras nos enseñan acerca de Él.

¿Quién es el Espíritu Santo?

Según las Escrituras, el Espíritu Santo es la ***tercera persona de la Trinidad.*** Es una persona en la misma deidad, en la misma potencia, en la misma omnipresencia del Padre y del Hijo.

Al inicio de la Biblia, en el primer capítulo del Libro de Génesis, encontramos lo siguiente: *«Y la tierra estaba desordenada y vacía, y las tinieblas estaban sobre la faz del abismo, y el Espíritu de Dios se movía sobre la faz de las aguas»* ***(v.2)***. El primero en manifestarse en el principio de la Creación no fue el Padre ni el Hijo, fue el Espíritu Santo de Dios. Debemos tener bien claro que hay tres manifestaciones de Dios: como Padre, como Hijo y como Espíritu.

Al Espíritu Santo también se lo llama el Espíritu del Padre, el Espíritu de Cristo, el Espíritu de Gloria y el Espíritu de Verdad. Desde Génesis hasta hoy, Él es quien manifiesta todas las cosas visibles en la tierra.

Cuando el ángel Gabriel le habló a María, le dijo: *«Y ahora, concebirás en tu vientre, y darás a luz un hijo, y llamarás su nombre JESÚS» (Lucas 1:31)*. Ella le dijo: «¿Cómo será esto? Pues no conozco varón». Y el Ángel le dijo: *«El Espíritu Santo vendrá sobre ti, y el poder del Altísimo te cubrirá con su sombra; por lo cual también el Santo Ser que nacerá, será llamado Hijo de Dios» (v.35)*. Cuando el Espíritu viniera sobre ella, entonces tendría todo lo que el ángel profetizó. Es decir, *el Espíritu Santo es quien materializa cada palabra y cada profecía.*

El Espíritu Santo es Dios

La Biblia evidencia a través de diversos textos que el Espíritu Santo es Dios:

- En el Libro de los Hechos, el Apóstol Pedro lo reconoce como Dios cuando le dice a Ananías: *«¿Por qué llenó Satanás tu corazón para que mintieses al Espíritu Santo, y sustrajeses del precio de la heredad?» (Hechos 5:3)*.

- Y luego le dijo: *«No has mentido a los hombres, sino a Dios» (Hechos 5:4c)*. Es evidente que Pedro sabía que el Espíritu Santo era y es Dios.

- En Libro de Isaías leemos que el profeta tuvo una visión en la que oye a Dios hablar: *«Después oí la voz del Señor, que decía: ¿A quién enviaré, y quién irá por nosotros? Entonces respondí yo: Heme aquí, envíame a mí. Y dijo: Anda, y di a este pueblo: Oíd bien, y no entendáis; ved por cierto, mas no comprendáis. Engruesa el corazón de este pueblo, y agrava sus oídos, y ciega sus ojos, para que no vea con sus ojos, ni oiga con sus oídos, ni su corazón entienda, ni se convierta, y haya para él sanidad»* ***(Isaías 6:8-10)***.

- Pero Pablo nos da una revelación más profunda, aun cuando nos dice que la voz que el profeta Isaías escuchó era la del Espíritu Santo: *«Y como no estuviesen de acuerdo entre sí, al retirarse, les dijo Pablo esta palabra: Bien habló el Espíritu Santo por medio del profeta Isaías a nuestros padres, diciendo: Ve a este pueblo, y diles: De oído oiréis, y no entenderéis; y viendo veréis, y no percibiréis; Porque el corazón de este pueblo se ha engrosado, y con los oídos oyeron pesadamente, y sus ojos han cerrado, para que no vean con los ojos, y oigan con los oídos, y entiendan de corazón, y se conviertan, y yo los sane»* ***(Hechos 28:26-27)***. Estas son las mismas palabras que escuchó el profeta, pero en su libro, Isaías dice que fue el Señor, y Pablo dice que fue el Espíritu Santo. Está claro que Él es Dios.

- Pablo continuó confirmando que el Espíritu Santo es Dios cuando escribió: *«Porque el Señor es el Espíritu; y donde está el Espíritu del Señor, allí hay libertad»* ***(2 Corintios 3:17)***.

- En el Libro de los Salmos dice que fuimos hechos por Dios: *«Reconoced que Jehová es Dios; Él nos hizo, y no nosotros a nosotros mismos; pueblo suyo somos, y ovejas de su prado» (Salmos 100:3)*.

- Pero, en el Libro de Job, dice que fuimos hechos por el Espíritu de Dios: *«El espíritu de Dios me hizo, Y el soplo del Omnipotente me dio vida» (Job 33:4)*. Nuevamente, es evidente que Él es Dios.

- En *2 Timoteo 3:16* dice: *«Toda la Escritura es inspirada por Dios, y útil para enseñar, para redargüir, para corregir, para instruir en justicia»*.

- En *2 Pedro 1:21* dice: *«Porque nunca la profecía fue traída por voluntad humana, sino que los santos hombres de Dios hablaron siendo inspirados por el Espíritu Santo»*. Una vez más vemos que el Espíritu Santo es Dios.

- La Palabra también dice: *«Porque tres son los que dan testimonio en el cielo: el Padre, el Verbo y el Espíritu Santo; y estos tres son uno» (1 Juan 5:7)*.

- *«¿O ignoráis que vuestro cuerpo es templo del Espíritu Santo, el cual está en vosotros, el cual tenéis de Dios, y que no sois vuestros?» (1 Corintios 6:19)*.

El Espíritu Santo es una persona

Él no es una cosa. Él no es un poder, tampoco es una fuerza. **Él es el poder**, y es una persona. Jesús enseñó: *«Mas el Consolador, el Espíritu Santo, a quien el Padre enviará en mi nombre, él os enseñará todas las cosas, y os recordará todo lo que yo os he dicho» (Juan 14:26)*.

¿Cómo nos damos cuenta de que Él es una persona? Porque la Escritura está llena de versos bíblicos que nos lo confirman. Él es una persona en la misma magnitud del Padre y en la misma magnitud del Hijo. Tiene mente, voluntad y emociones. Siente amor, gozo, dolor y tristeza *(Romanos 15:30)*. Consuela *(Hechos 9:31)*, habla *(Hebreos 3:7)*, enseña *(1 Corintios 2:13)*, se entristece *(Efesios 4:30)*, en oportunidades es insultado *(Hebreos 3:29)*, también es resistido *(Hechos 7:51)* y se le puede mentir *(Hechos 5:1-11)*.

El Espíritu Santo...

- Da testimonio de que somos hijos de Dios.

   «El Espíritu mismo da testimonio a nuestro espíritu, de que somos hijos de Dios» (Romanos 8:16).

   «Pero cuando venga el Consolador, a quien yo os enviaré del Padre, el Espíritu de verdad, el cual procede del Padre, él dará testimonio acerca de mí» (Juan 15:26).

- Nos guía a toda verdad.

   «Pero cuando venga el Espíritu de verdad, él os guiará a toda la verdad; porque no hablará por su propia cuenta, sino que hablará todo lo que oyere, y os hará saber las cosas que habrán de venir» (Juan 16:13).

- Glorifica a Jesús.

   «Él me glorificará; porque tomará de lo mío, y os lo hará saber» (Juan 16:14).

- Nos ayuda a predicar el Evangelio.

  «A estos se les reveló que no para sí mismos, sino para nosotros, administraban las cosas que ahora os son anunciadas por los que os han predicado el evangelio por el Espíritu Santo enviado del cielo; cosas en las cuales anhelan mirar los ángeles» **(1 Pedro 1:12)**.

  «Y atravesando Frigia y la provincia de Galacia, les fue prohibido por el Espíritu Santo hablar la palabra en Asia» **(Hechos 16:6)**.

- Intercede por nosotros.

  «Y de igual manera el Espíritu nos ayuda en nuestra debilidad; pues qué hemos de pedir como conviene, no lo sabemos, pero el Espíritu mismo intercede por nosotros con gemidos indecibles» **(Romanos 8:26)**.

- Nos envía.

  «Ellos, entonces, enviados por el Espíritu Santo, descendieron a Seleucia, y de allí navegaron a Chipre» **(Hechos 13:4)**.

- Se reunía con los apóstoles.

  «Porque ha parecido bien al Espíritu Santo, y a nosotros, no imponeros ninguna carga más que estas cosas necesarias» **(Hechos 15:28)**.

- Es quien nombra a los pastores y obispos.

  «Por tanto, mirad por vosotros, y por todo el rebaño en que el Espíritu Santo os ha puesto por obispos, para apacentar la iglesia del Señor, la cual él ganó por su propia sangre» **(Hechos 20:28)**.

- Es quien provoca la profecía.

  «En aquellos días unos profetas descendieron de Jerusalén a Antioquía. Y levantándose uno de ellos, llamado Agabo, daba a entender por el Espíritu, que vendría una gran hambre en toda la tierra habitada; la cual sucedió en tiempo de Claudio» ***(Hechos 11:27-28)***.

  «(...) quien viniendo a vernos, tomó el cinto de Pablo, y atándose los pies y las manos, dijo: Esto dice el Espíritu Santo: Así atarán los judíos en Jerusalén al varón de quien es este cinto, y le entregarán en manos de los gentiles» ***(Hechos 21:11)***.

- Da órdenes.

  «Y el Espíritu me dijo que fuese con ellos sin dudar» ***(Hechos 11:12a)***.

  «Y el Espíritu dijo a Felipe: Acércate y júntate a ese carro» ***(Hechos 8:29)***.

- Es quien llama y escoge.

  «Ministrando estos al Señor, y ayunando, dijo el Espíritu Santo: Apartadme a Bernabé y a Saulo para la obra a que los he llamado» ***(Hechos 13:2)***.

¿Crees que una fuerza o energía puede tomar decisiones? Es evidente que Él es una persona.

A lo largo de las Escrituras encontramos varios nombres que se han utilizado para llamar al Espíritu Santo. Algunos de ellos son: Espíritu Santo (96 veces), Espíritu del Señor (28 veces), Espíritu de Dios (26 veces),

Espíritu Eterno (Hebreos 9:14), Ayudador (4 veces por Jesús en el Evangelio de Juan), Consolador, Santo.

La personalidad del Espíritu Santo

El Espíritu Santo es una persona y como tal debe tener sentimientos y voluntad, debe hablar, oír, entristecerse, reírse, gozarse. Él es una persona. Los testigos de Jehová dicen que es una fuerza, un poder. Realmente, están errados. Por eso, sus iglesias están totalmente secas y muertas. Creen que el Espíritu Santo es como un viento. Otras iglesias lo tienen como un aceite, como una paloma, y hasta ponen un símbolo de esa ave. ¿Quién te ha dicho que el Espíritu Santo se parece a una paloma? Él vino en forma de paloma, pero no es una paloma. Por esta razón, hoy en día, tantas iglesias están perdiendo la manifestación, la gracia del Espíritu Santo, porque no lo reconocen. Solo comenzará a manifestarse donde lo reconozcan como Él es.

Algunas partes de las Escrituras nos enseñan acerca de la personalidad del Espíritu Santo de Dios:

- Él tiene mente *(Romanos 8:27)*.

- Él tiene voluntad *(1 Corintios 12:11)*.

- Él tiene emociones como: el amor, el dolor, el gozo, la tristeza *(Romanos 15:30)*.

- Porque «gime con gemidos indecibles» y ninguna cosa va a gemir *(Gálatas 5:22 y Efesios 4:30)*.

- Él consuela *(Hechos 9:31)*.

- Él habla, por lo tanto, tiene boca *(Hebreos 3:7)*. Hay quienes me dicen: «Pastor, yo quiero que el profeta

23

de Dios me hable». Mi respuesta es: «Pero si usted tiene al Espíritu Santo que puede hablarle esta misma noche».

- Podemos entristecerlo *(Efesios 4:30)*.

- Puede ser insultado *(Hebreos 10:29)*.

- Puede ser resistido. Gente que resiste al Espíritu, oponiéndose a Él *(Hechos 7:51)*.

- Se le puede mentir *(Hechos 5:1-11)*.

Estos atributos son claros en las Escrituras. Entonces, ¿por qué se malinterpreta al Espíritu Santo de Dios? ¿Por qué la gente lo trata como a una cosa, cuando realmente es una persona? ¿Por qué la gente trata de dirigirse a Él como si fuera el muchacho a quien darle órdenes, cuando realmente es la presencia de Dios tangible, visible y palpable?

Sin el Espíritu Santo no hay revelación de las Escrituras

«Y le había sido revelado por el Espíritu Santo, que no vería la muerte antes que viese al Ungido del Señor» (Lucas 2:26).

«Pero Dios nos las reveló a nosotros por el Espíritu; porque el Espíritu todo lo escudriña, aun lo profundo de Dios» (1 Corintios 2:10).

De hecho, sin el Espíritu Santo, la Escritura estaría muerta. Por eso, Pablo dice que «la letra mata, mas el espíritu vivifica». Sin el Espíritu Santo no se puede tener revelación de las Escrituras. Sin el Espíritu Santo, los versículos parecen textos comunes y corrientes. Mas cuando el Espíritu viene, los versículos toman vida y las cosas que no se veían, comienzan a verse.

Sin el Espíritu Santo no hay visión, no hay gozo, no hay paz, no hay milagros, no hay liberación, porque donde está el Espíritu del Señor, allí hay libertad, y «el gozo del Señor es nuestra fortaleza», pero David dice: «En tu presencia hay plenitud de gozo; delicias a tu diestra para siempre». Él está con nosotros.

- Sin el Espíritu Santo, los mensajes aburren.

- Sin el Espíritu Santo, las canciones matan.

- Sin el Espíritu Santo, los demonios se burlan.

- Sin el Espíritu Santo, el adulterio gobierna en la iglesia.

- Sin el Espíritu Santo, el orgullo reina en el altar, pero cuando el Espíritu viene, nadie puede estar de pie y con vanidad ante su Presencia.

A través de estas palabras te estoy presentando al Todopoderoso, al que tiene la revelación escondida, al que nos muestra los tesoros escondidos. Sin Él no se puede hacer nada, el Espíritu Santo es quien designa a los pastores, quien los llama, quien les da un sueño, les da revelaciones, los envía de otros países, les dice lo que van a hacer *(Hechos 20:28)*. Él utiliza a los profetas como canales para llamar a los pastores, pero no es el profeta quien los llama, es el Espíritu Santo. Él ha usado siempre a las personas como canales.

El Espíritu Santo puede ser resistido

«¡Duros de cerviz, e incircuncisos de corazón y de oídos! Vosotros resistís siempre al Espíritu Santo; como vuestros padres, así también vosotros» *(Hechos 7:51)*.

El Espíritu Santo puede ser entristecido

«Y no contristéis al Espíritu Santo de Dios, con el cual fuisteis sellados para el día de la redención» *(Efesios 4:30)*.

El Espíritu Santo es quien da los dones

«Pero a cada uno le es dada la manifestación del Espíritu para provecho. Porque a este es dada por el Espíritu palabra de sabiduría; a otro, palabra de ciencia según el mismo Espíritu; a otro, fe por el mismo Espíritu; y a otro, dones de sanidades por el mismo Espíritu. A otro, el hacer milagros; a otro, profecía; a otro, discernimiento de espíritus; a otro, diversos géneros de lenguas; y a otro, interpretación de lenguas. Pero todas estas cosas las hace uno y el mismo Espíritu, repartiendo a cada uno en particular como él quiere» *(1 Corintios 12:7-11)*.

En estos versículos podemos ver la Trinidad divina en acción a través de sus respectivas funciones.

1. El encargado de impartir el ministerio es Dios, el Hijo.

2. El que hace la operación es Dios, el Padre.

3. Quien imparte los dones es Dios, el Espíritu Santo.

El Espíritu Santo es el responsable de impartir los dones, según Él cree, de acuerdo con Su voluntad y Su propósito. Fíjate que el texto no dice: «y el Padre o el Hijo», sino «el Espíritu Santo, como Él quiere». O sea, Él tiene voluntad, decisión propia, *es parte de la Trinidad divina.*

«Ahora bien, hay diversidad de dones, pero el Espíritu es el mismo. Y hay diversidad de ministerios, pero el Señor es el mismo. Y hay diversidad de operaciones, pero Dios, que hace todas las cosas en todos, es el mismo» (1 Corintios 12:4-6).

«Porque tres son los que dan testimonio en el cielo: el Padre, el Verbo y el Espíritu Santo; y estos tres son uno» (1 Juan 5:7).

Un papel importante en la Creación

El Espíritu Santo jugó un papel muy importante durante la creación del hombre. Leímos:

«Entonces Jehová Dios formó al hombre del polvo de la tierra, y sopló en su nariz aliento de vida, y fue el hombre un ser viviente» (Génesis 2:7).

El Espíritu Santo le dio forma a Adán y sopló aliento de vida en su nariz. ¿Cómo sé que esto es verdad? Veamos: *«El espíritu de Dios me hizo, y el soplo del Omnipotente me dio vida» (Job 33:4).*

El Espíritu Santo no solo formó a Adán, sino que también nos formó a nosotros y nos sopló aliento de vida.

«Porque tú formaste mis entrañas; Tú me hiciste en el vientre de mi madre» **(Salmos 139:13)**.

Es un hecho que el Espíritu de Dios formó todo lo que vemos. El verso de **Proverbios 26:10** dice: *«El gran Dios cría todas las cosas»* *(Versión Biblia del Jubileo)*.

La creación que vemos manifestada es porque el Espíritu Santo representó los deseos creativos del Padre (el iniciador). Con estas evidencias, anhelo que puedas creer con fe que el Espíritu Santo es Dios.

El Espíritu Santo es el poder creativo de Dios, literalmente el que forma todas las cosas. Nada puede ser creado sin la participación del Espíritu de Dios. Los animales, las hormigas, las cucarachas, los microbios más pequeños y las cosas más grandes fueron creadas por el Espíritu de Dios.

Job dice: *«Su espíritu adornó los cielos»* **(26:13a)**. Él creó los planetas y nuestra galaxia junto a las miles de estrellas que están en el Universo. Él creó todo el espacio que vemos a través del cielo oscuro: la luna y el cielo estrellado. Él lo hizo.

Él es el encargado de crear el cuerpo

«Escondes tu rostro, se turban; les quitas el hálito, dejan de ser, y vuelven al polvo. Envías tu Espíritu, son creados, y renuevas la faz de la tierra» **(Salmos 104:29-30)**.

El Espíritu Santo es quien crea la materia, el cuerpo de todos los seres humanos y de los animales. De hecho, es quien le da vida a la Creación y quien puede volver a la vida todo lo que esté muerto.

Dios, el Padre, no hace nada en la Creación si no es por su Espíritu. Dios habló y dio órdenes para que las cosas fueran creadas después de que el Espíritu se movió sobre las aguas. Mirémoslo que dice la Biblia:

«En el principio creó Dios los cielos y la tierra. Y la tierra estaba desordenada y vacía, y las tinieblas estaban sobre la faz del abismo, y el Espíritu de Dios se movía sobre la faz de las aguas. Y dijo Dios: Sea la luz; y fue la luz» **(Génesis 1:1-3)**.

Este principio es clave para operar en el poder de Dios. Movernos, hablar, cuando el Espíritu Santo esté en movimiento. Él crea la atmósfera para que la palabra hablada o la información que declaramos sea materializada. Solo Él puede crear a partir de las palabras que salen de la boca de Dios y de la nuestra. Los profetas de Dios de la antigüedad sabían este secreto tan poderoso. Estos son algunos ejemplos:

Elías: Él sabía del poder creativo del Espíritu Santo y del respaldo hacia la palabra declarada. Miremos lo que él dijo para profetizar la sequía en Israel:

«Entonces Elías tisbita, que era de los moradores de Galaad, dijo a Acab: Vive Jehová Dios de Israel, en cuya presencia estoy, que no habrá lluvia ni rocío en estos años, sino por mi palabra» **(1 Reyes 17:1)**.

Elías dijo: «en cuya presencia estoy». Habló en tiempo presente. Él perseveraba en la presencia de Dios en el presente. Él estaba bajo la presencia de Dios cuando profetizó. Nunca cometas el error de emprender algo sin el acompañamiento del Espíritu Santo. Espéralo a Él, espera hasta que entre en escena.

Eliseo: Él también sabía este secreto. Miremos lo que dice la Biblia:

«Entonces Eliseo dijo al rey de Israel: ¿Qué tengo yo contigo? Ve a los profetas de tu padre, y a los profetas de tu madre. Y el rey de Israel le respondió: No; porque Jehová ha reunido a estos tres reyes para entregarlos en manos de los moabitas. Y Eliseo dijo: Vive Jehová de los ejércitos, en cuya presencia estoy, que si no tuviese respeto al rostro de Josafat rey de Judá, no te mirara a ti, ni te viera. Mas ahora traedme un tañedor. Y mientras el tañedor tocaba, la mano de Jehová vino sobre Eliseo, quien dijo: Así ha dicho Jehová: Haced en este valle muchos estanques. Porque Jehová ha dicho así: No veréis viento, ni veréis lluvia; pero este valle será lleno de agua, y beberéis vosotros, y vuestras bestias y vuestros ganados. Y esto es cosa ligera en los ojos de Jehová; entregará también a los moabitas en vuestras manos. Y destruiréis toda ciudad fortificada y toda villa hermosa, y talaréis todo buen árbol, cegaréis todas las fuentes de aguas, y destruiréis con piedras toda tierra fértil. Aconteció, pues, que por la mañana, cuando se ofrece el sacrificio, he aquí vinieron aguas por el camino de Edom, y la tierra se llenó de aguas» ***(2 Reyes 3:13-20)***.

Es evidente que el profeta Eliseo estaba disgustado con el rey de Israel por lo impío que era, y no quería profetizar. Sin embargo, por respeto al rey Josafat, profetizó. Pero, es sorprendente que el profeta Eliseo dijera: «tráiganme un tañedor», que era un músico que tocaba un instrumento. O sea, Eliseo cambió y preparó la atmósfera adecuada para el Espíritu de Dios.

A pesar de ser un profeta llamado por Dios, Eliseo no abrió su boca en profecía, sino hasta que el Espíritu de Dios vino sobre Él. Este debe ser nuestro estilo de vida: esperar al Espíritu Santo para movernos en lo sobrenatural. Te aconsejo que aprendas a esperar la presencia de Dios para que sea Él quien te mueva.

El Espíritu Santo engendró a Jesús

Como fue explicado hasta aquí, el Espíritu Santo es el poder creativo detrás de todas las cosas que fueron creadas. Él también fue quien engendró a Jesús en la Tierra. Alguien escribió: «Pero ¿no fue el Padre?» El Padre lo hizo, pero quien lo manifestó fue el Espíritu Santo. El Padre es quien decide, el Espíritu Santo lo manifiesta. Recuerda que tú no puedes separar al Padre del Espíritu Santo, como si fuera una persona totalmente independiente. El Espíritu Santo es el Espíritu del Padre. Recuerda que no solo se llama «Espíritu Santo», sino también «Espíritu de Dios».

Te presentaré un ejemplo sencillo acerca de la *Trinidad*, para que te sea más simple comprenderlo. Cuando ves a una persona o a ti mismo, ¿cuántas personas ves? Una, conformada por tres áreas: cuerpo, alma y espíritu. La diferencia entre tú y Dios, es que Él puede separarse, porque es la Trinidad: Padre, Hijo y Espíritu. En cambio, tú no puedes separar cada una de las partes que conforman tu vida. Cuando mueras, se podrá ver esas tres formas: el cuerpo sin vida, el alma sin reacción y el espíritu que regresará a Dios. Pero aun sin vida sigues siendo tú. Si tu espíritu se separa, no significa que no seas tú, continuarás siendo tu espíritu, tu cuerpo y tu alma. Así mismo es el Padre, el Hijo y el Espíritu Santo.

«Porque tres son los que dan testimonio en el cielo: el Padre, el Verbo y el Espíritu Santo; y estos tres son uno» **(1 Juan 5:7)**.

Satanás trabaja arduamente para quitarle valor al Espíritu de Dios dentro de la Iglesia. El pueblo de Dios y los pastores del Libro de los Hechos no hubieran podido avanzar si el Espíritu Santo no se hubiese convertido en el Señor de la Iglesia. Desde que el Espíritu Santo comenzó a actuar, ellos no hacían nada sin su participación. Los apóstoles aprendieron de Cristo, su mejor Maestro, a no moverse sin el Espíritu. Él les enseñó la importancia de no hacer nada sin la participación del Espíritu de Dios.

Todo lo que enseño está respaldado con textos bíblicos, y siempre debe ser así. No debe ser por costumbres religiosas, sino por verdad bíblica. No se trata de lo que yo diga, sino de lo que la Biblia revela, porque está por encima de cualquier concepto que nosotros tengamos. Si pones tu principio por encima de la Biblia, terminarás siendo un falso profeta, practicando falsas doctrinas. Jesús no hubiese podido venir a la Tierra si el Espíritu Santo no lo hubiese traído.

«Respondiendo el ángel le dijo (a María): El Espíritu vendrá sobre ti y el poder del Altísimo te cubrirá con su sombra; por lo cual, el santo ser que nacerá, será llamado Hijo de Dios» **(Lucas 1:35)**.

El Espíritu Santo de Dios vendría sobre María, y el ángel le dijo: «Cuando venga el Espíritu de Dios sobre ti, entonces quedarás embarazada». Por lo tanto, ¿quién engendró a Jesús en María? El Espíritu de Dios.

Otro versículo bíblico que trae claridad dice:

«El nacimiento de Jesucristo fue así: Estando desposada María, su madre, con José, antes que se juntasen, se halló que había concebido del Espíritu Santo» **(Mateo 1:18)**.

Lo confirma luego: *«Y pensando él en esto, he aquí un ángel del Señor le apareció en sueños y le dijo: José, hijo de David, no temas de recibir a María tu mujer, porque lo que en ella es engendrado, del Espíritu Santo es»* **(Mateo 1:20)**.

Quiero resaltar que el ángel le dijo: *«He aquí, una virgen concebirá y dará a luz un hijo, Y llamarás su nombre Emanuel, que traducido es: Dios con nosotros»* **(Mateo 1:23)**. Emanuel significa «Dios con nosotros», porque Él es el Hijo de Dios, el Hijo del altísimo.

El hecho de que lo engendrara el Espíritu Santo no significa que no proviniera de Dios. Recuerda que Dios es el Espíritu y el Espíritu es Dios. Por eso Jesús no es llamado el «Hijo del Espíritu Santo» textualmente, sino el «Hijo de Dios», porque quien lo engendró es el Espíritu Santo, Dios, que es el Padre.

¡Prepárate! Porque si el Espíritu Santo viene sobre ti, te sucederá lo mismo que a María. No significa que tendrás un hijo, pero en tu interior se gestarán cosas nuevas, y comenzarás a experimentar algo renovado y fresco de parte de Dios. No hay forma de tener algo nuevo si el Espíritu de Dios no viene sobre tu vida, porque Él es quien tiene el poder creativo.

El Espíritu Santo en la vida de Jesús

Analicemos ahora qué representó el Espíritu Santo en la vida y ministerio de Jesús. Hay un versículo muy importante que debemos considerar, y que durante toda mi vida lo he tenido en mente. Este nos revela cuál era la fuente de los milagros de Jesús, de Sus poderes, y cómo podía operar en este tipo de prodigios y señales.

Estaba el Apóstol Pedro predicando en la casa de Cornelio, y dijo: «Cómo ungió Dios con el Espíritu Santo y con poder a Jesús de Nazaret, y cómo este anduvo haciendo bienes y sanando a todos los oprimidos por el diablo, porque Dios estaba con Él» *(Hechos 10:38)*.

Las liberaciones que Jesús hacía sobre los endemoniados, como fue el caso del gadareno, y los milagros de sanidad, fueron resultado de la unción que el Espíritu Santo había derramado sobre Él.

Su ministerio fue poderoso y efectivo a causa de la unción, y en ese mismo momento, el cielo se abrió, el Padre habló, el Espíritu descendió como paloma sobre Jesús y luego lo llevó al desierto. De allí, Jesús regresó con algo nuevo. Descubrió que los treinta años que había vivido como carpintero no habían sido con el poder manifestado, porque el Espíritu aún no había descendido sobre Él. Entonces entendió que ya no había tiempo para estar entre tablas y martillos, era el momento de comenzar a transformar a la humanidad.

En treinta años nunca había obrado un milagro. Recuerda que Él vino a esta tierra como hombre y murió como tal. Él fue tentado, pero Dios no puede ser tentado. Sin embargo, Jesús vivió como hombre para enseñarnos a vivir al igual que Él, lleno del Espíritu Santo.

Jesús dependía del Espíritu Santo para todo

Desde que Jesús descendió del Jordán, tomó un hábito en su vida: depender del Espíritu Santo. Se dio cuenta de que el Espíritu es Dios, y que, sin Él, nada es posible. La primera persona a la que la gente llama «último», no es el Padre ni es el Hijo, es el Espíritu de Dios. La Tierra estaba desordenada y vacía y, ¿quién fue el primero que se movía allí? A quien llaman el tercero de la Trinidad, fue el primero en la Creación.

«Y la tierra estaba desordenada y vacía, y las tinieblas estaban sobre la faz del abismo, y el Espíritu de Dios se movía sobre la faz de las aguas» **(Génesis 1:2)**.

Cuando Jesucristo inició su ministerio sobrenatural, comenzó a caminar *por el* Espíritu y *en el* Espíritu. Cierto día lo acusaron porque echaba fuera demonios por Belcebú **(Mateo 12:24)**, y dijo: *«Pero si yo expulso los demonios por el Espíritu de Dios, entonces el reino de Dios ha llegado a vosotros»* **(v.28)**. Jesús dependía completamente del Espíritu Santo. Él fue concebido y enseñado por el Espíritu. Y recibió poder por el Espíritu en el río Jordán. Jesús no realizó ningún milagro hasta que fue bautizado por el Espíritu. Podemos comprobar que Su primer milagro, de acuerdo lo dice la Biblia: *«Este principio de señales hizo Jesús en Caná de Galilea, y manifestó su gloria; y sus discípulos creyeron en él»* **(Juan 2:11)**.

Jesús hablaba lo que el Espíritu Santo le revelaba

Jesús dijo: *«Las palabras que yo hablo no las hablo por mi propia cuenta, sino que el Padre que mora en mí, hace las obras»* **(Juan 14:10b)**. Él no dijo: «El Padre que está en el cielo», sino «El Padre que mora en mí».

Cuando Jesús estaba en el Jordán, el Padre estaba en el cielo y quien descendió fue el Espíritu Santo. A causa de ello, cuando Jesús oró al Padre en la cruz, miró al cielo y dijo: «Dios mío, ¿por qué me has desamparado?». Dios, el Padre, está en el trono. Dios, el Hijo, está hablando, y Dios, el Espíritu Santo, está operando.

«El espíritu de Dios me hizo, y el soplo del Omnipotente me dio vida» **(Job 33:4)**.

El Espíritu que resucitó a Jesús de los muertos

«Y si el Espíritu de aquel que levantó de los muertos a Jesús mora en vosotros, el que levantó de los muertos a Cristo Jesús vivificará también vuestros cuerpos mortales por su Espíritu que mora en vosotros» **(Romanos 8:11)**.

Desarrolla tu ministerio con el Espíritu Santo

Si quieres tener un ministerio efectivo en la vida, debes entender que, sin la unción del Espíritu Santo, no lo lograrás. Necesitamos ser ungidos por Él. Jesucristo, el Hijo de Dios, el que era desde antes de la fundación del mundo, el que siempre habitó con el Padre, cuando vino a ejercer el ministerio en la tierra para salvarnos, para liberarnos, para sanarnos; necesitó ser ungido por el Espíritu Santo. Eso significa que, sin Su unción, no irás a ninguna parte. No importa cuán bonito prediques. No importa cuán entonado cantes. No importa cuán didácticamente enseñes. Si el Espíritu Santo no te unge, nadie te hará caso, nadie le dará credibilidad a tus enseñanzas.

Tú también puedes obrar milagros

Este capítulo trae luz para aquellos que quieran operar milagros, señales y prodigios, ya que debe recordar lo que dice Jesús: *«Las palabras que yo os hablo, no las hablo por mi propia cuenta, sino que el Padre que mora en mí, él hace las obras»* **(Juan 14:10b)**.

> ### El que mora en ti es quien hace las obras: el Espíritu Santo.

Mientras estuvo en la tierra, Jesús y el Espíritu Santo siempre trabajaron juntos. «El Padre que mora en mí, Él es el que hace las obras.» ¿Ahora entiendes por qué Jesús limpiaba a los leprosos? ¿Por qué Jesús resucitaba a los muertos? Porque Él es la Palabra. Él es el que ejecuta lo que el Padre decidió, pero el Padre que mora en Él es el que manifiesta el milagro. El Espíritu Santo es el que hace la obra, el que hace que las cosas subsistan, se manifiesten.

Lo más precioso de este análisis es que ese mismo Padre, ahora mora en nosotros. Por eso podemos operar los mismos milagros que el Maestro. Cristo mismo lo dijo: *«El que en mí cree, las obras que yo hago, él las hará también; y aun mayores hará, porque yo voy al Padre»* **(Juan 14:12)**.

Cuando comprendas que quien hace las obras no eres tú sino el Espíritu Santo que mora en ti, entonces te será más fácil decirle a un muerto «levántate», a un paralítico «camina», a un ciego «recibe la vista». Podrás ver milagros tras milagros, solo debes reconocer que no eres tú, sino Él que mora en ti.

De hecho, la historia está llena de hombres que han operado los mismos milagros que Jesús. Han orado y los muertos resucitaron, los ciegos recuperaron la vista, los paralíticos caminaron, los mudos lograron hablar, los leprosos fueron sanados, etc. Escuché maravillosos testimonios de personas que han caminado sobre las aguas. Algunos ministerios en Indonesia oraron y el agua se convirtió en vino. Por todo el globo terráqueo se han operado los mismos milagros, pero ahora hay cosas mayores que están ocurriendo. ¿Por qué? Porque Cristo quiso decir: Yo operaba por el Espíritu que estaba dentro de mí y estaba limitado en el cuerpo, pero ahora, como yo voy al Padre a interceder, las cosas que ustedes harán serán mayores.

El Espíritu Santo es:

- El Señor *(2 Corintios 3:17)*.

- Espíritu de verdad *(Juan 14:17, 15:26, 16:13, 1 Juan 4:6)*.

- Espíritu abrasador *(Isaías 4:4)*.

- Espíritu de Cristo *(Romanos 8:9)*.

- Espíritu de consejo *(Isaías 11:2)*.

- Espíritu de nuestro Padre *(Mateo 10:20)*.

- Espíritu de temor del Señor *(Isaías 11:2)*.

- Espíritu de gloria *(1 Pedro 4:14)*.

- Espíritu de gracia *(Zacarías 12:10); (Hebreos 10:29)*.

- Espíritu de Jesucristo *(Filipenses 1:19)*.

- Espíritu de juicio *(Isaías 4:4)*.

- Espíritu de conocimiento *(Isaías 11:2)*.

- Espíritu de vida *(Romanos 8:2)*.

- Espíritu de amor *(2 Timoteo 1:7)*.

- Espíritu de poder *(Isaías 11: 2)*; *(2 Timoteo 1:7)*.

- Espíritu de profecía *(Apocalipsis 19:10)*.

- Espíritu de revelación *(Efesios 1:17)*.

- Espíritu de buen juicio *(2 Timoteo 1:7)*.

- Espíritu de entendimiento *(Isaías 11:2)*.

- Espíritu de sabiduría *(Isaías 11:2)*.

- Espíritu de santidad *(Romanos 1:4)*.

A través de todos estos versículos bíblicos tenemos la seguridad de que el Espíritu Santo no es una fuerza, un aceite, una paloma, un fuego ni una electricidad, sino una persona. Todo lo mencionado son manifestaciones que Él usa para ministrarnos. El Espíritu Santo es una persona real que habla, dirige, anima, enseña y ayuda.

Conocerlo a Él es lo mejor que nos puede suceder. A medida que busques su amistad pasando tiempo de calidad a solas con Él, le conocerás más y sabrás que es lo más hermoso que un ser humano puede experimentar en esta tierra. Él te ayudará a conocer más a Jesús y al Padre.

Anímate a abrir tu corazón y dile que quieres conocerlo. Él está contigo ahora mismo. Él fue quien puso este libro en tus manos, porque te anhela. Así lo dice la Biblia: *«¿O pensáis que la Escritura dice en vano: El Espíritu que él ha hecho morar en nosotros nos anhela celosamente?»* **(Santiago 4:5)**.

¿No es maravilloso que el Espíritu de Dios te ame y quiera tener comunión contigo? Pablo habló de esta comunión y lo dice de esta manera: *«La gracia del Señor Jesucristo, el amor de Dios, y la comunión del Espíritu Santo sean con todos vosotros. Amén»* **(2 Corintios 13:14)**.

En resumen, en este primer capítulo te presenté a la persona que puede cambiar la naturaleza del hombre, la humanidad entera, y puede hacer que un enfermo sea sanado y un cautivo liberado: **el Espíritu Santo de Dios**.

Te presenté las bases bíblicas acerca de quién es el Espíritu Santo, y qué representó en la vida y el ministerio de Jesús. También el poder explicarte de qué manera puede influir en nuestra vida. El Espíritu Santo es una persona.

Te animo a iniciar una profunda comunión con la presencia de Dios. Búscalo y lo hallarás. Jesús dijo: *«Pedid, y se os dará; buscad, y hallaréis; llamad, y se os abrirá. Porque todo aquel que pide, recibe; y el que busca, halla; y al que llama, se le abrirá»* **(Mateo 7:7-8)**.

Anhelo que en este momento comiences a transitar una comunión maravillosa y profunda con el Espíritu Santo. Prepárate, porque jamás serás igual si el poder del Espíritu Santo de Dios mora en ti.

Ahora es tu turno de buscar y hallar. Te toca a ti. ¡Búscalo! Él te está esperando.

Capítulo II

El Espíritu Santo es mi Maestro

«Mas el consolador, el Espíritu Santo,
a quien el Padre enviará en mi nombre,
él os enseñará todas las cosas, y os recordará
*todo lo que yo os he dicho» **(Juan 14:26)**.*

Durante una noche de servicio, hacía poco tiempo que me congregaba, cuando el Espíritu de Dios me hizo un llamado para predicar acerca de Él, de Su amistad y de Su enseñanza. Entonces, ya no buscaba una manifestación espiritual, sino una relación personal con el Maestro. Comencé a buscarlo a Él. No pedía ver Su fuego, Su prosperidad, tampoco Sus milagros. Solamente lo quería a Él.

Así como Abraham, que era amigo de Dios, era la clase de relación que quería tener con Él. En la Biblia aprendí la teoría, el testimonio y la historia, pero luego comencé a vivir la experiencia práctica. Me vi impulsado a conocerlo mejor.

Cierto día, invitaron a un evangelista y a mí a predicar durante unas noches de campaña. El evangelista era mayor que yo y hacía unos diez años que ya era predicador. En cambio, yo, hacía poco más de un año que lo hacía. El primer día de campaña comenzaría predicando yo, así que me pasé el día entero en ayuno y oración para que esa noche fuera especial.

A las seis de la tarde, fuimos con mi compañero y un grupo de hermanos a la campaña. Caminamos cinco kilómetros hasta llegar. Cuando ingresamos al templo, estaba lleno, había unas ochenta personas aproximadamente.

Estaba sentado, nervioso, esperando mi momento para subir a la plataforma y predicar. Trataba de brillar, quería que Dios me usara y se manifestara esa noche. Llegó el momento, me levanté, saludé, abrí la Biblia y comencé a hablar. Prediqué hasta que los pulmones casi se me salían. Grité, brinqué, y al final, casi la iglesia entera se durmió.

Salí de allí sin deseos de continuar predicando las noches que aún quedaban. Estaba desanimado. Había orado y ayunado todo el día, pero Dios no me usó.

Cuando quieres que Dios te use y crees que estás haciendo todo lo que tienes que hacer, y al final, Dios dice: «Hoy no te voy a usar». Y aún más, te dice: «Tampoco te lo voy a explicar». «¿Y por qué, Dios?». «Porque no lo explicaré en tu tiempo ni en tu idioma. Sino lo haré de otra forma».

Me fui muy desanimado. El otro predicador que me acompañaba regresó a su casa, junto a su esposa. Yo volví al sitio donde dormía, un lugar al que le llamábamos «el palomar», porque era el altillo de la casa del hijo de la que hoy es mi suegra. Y como no tenía cama, dormía en el piso.

Esa noche me tiré al suelo y lloré mucho. Me sentí vacío, perdido, inútil. Sentí que no había sido llamado para predicar. Estaba decepcionado de mí y casi enojado con Dios. Hablé con Él y le dije: «Dios, me sacaste del béisbol y ahora no me usas. ¿Qué voy a hacer?».

Esa noche lloré profundamente hasta quedarme dormido y me soñé llorando. ¡Impresionante! En el sueño estaba llorando en el piso, rodeado de una multitud de personas. Entre ellos vi a un joven de unos veinticinco años más o menos, que descendió del cielo. Su altura era como de seis pies, sus ojos eran de un hermoso color azul claro, pesaría unas ciento noventa libras aproximadamente. Vi su cinturón, su cabello, y de pronto dijo: «Estoy buscando un amigo». Me levanté y respondí: «Yo quiero ser tu amigo». Esa era la frase con la que me había quedado dormido. Mientras le decía que quería ser su amigo, realmente quería conocerlo. Me miró y me dijo: «Yo soy tu amigo, pero cada vez que quiero hablar contigo, no tienes tiempo para mí». Inmediatamente, desperté.

En ese momento no sabía bien lo que quería decirme, pero, a medida que pasaban los días, me di cuenta a qué se refería cuando dijo: «Si quieres ser mi amigo, pasa más tiempo conmigo».

Desde que nos convertimos nos acostumbramos a seguir reglas. En el caso de la oración, nos ocurre lo mismo. Nos arrodillamos y decimos: «Padre nuestro que estás en los cielos...». Pero quizás Dios quiere hablar contigo y si no aprendes a relajarte en Su Presencia y a esperar en Él, jamás lo conocerás con profundidad espiritual.

Solemos creer que orar es presentarle una lista de pedidos diciendo: «Señor, en primer lugar, necesito que me des esto; en segundo lugar, esto otro…». Eso no es comunión. Eso es interés. Es una persona que desean que le suplan lo que necesita, pero no está ahí para conocer a Dios. Solo quiere que le resuelva y solucione sus problemas.

Si realmente quieres conocer al Señor, toma tu lista y ponla en un costado. Acércate a Dios, y dile: «¿Cómo estás, Señor? ¿Cómo estás, Espíritu Santo? En verdad quiero conocerte».

Esa noche, luego de ese sueño, me levanté, no ayuné, me quedé solo con Dios en la habitación. Pasé todo el día a la expectativa de Él, deseándolo, buscándolo y leyéndolo.

Soy su amigo, y Él, mi Maestro

Llegó la noche, y tenía que regresar a la campaña. Cuando terminé a las seis de la tarde de estar con Él en oración, sentí una unción que corría por mi cuerpo. Y aunque ese día no me tocaba predicar, estaba deseoso por soltar lo que Dios había cargado sobre mí. Me senté junto al predicador, y el pastor me llamó para que tomara el micrófono, saludara a la congregación y luego presentara a mi compañero, que debía predicar.

De pronto, cuando miré hacia el púlpito, antes de levantarme, vi al mismo joven del sueño allí parado. Me miró y me sonrió. Me temblaron los huesos. Caminé hacia la plataforma y cuando dije: «Buenas noches. El Espíritu Santo está aquí», casi toda la congregación cayó al piso al instante. Hasta los bancos se cayeron. El mover del Espíritu de Dios fue extraordinario. La gente se fue a su casa sana.

El predicador casi no pudo predicar. Todo eso ocurrió porque había pasado tiempo con Él. Ahora, no era solo el bautismo, era una constante llenura por estar horas en Su Presencia.

Cuando descubrí lo que significaba conocerlo, intimar con Él, oírlo, me di cuenta de que Él es el mejor maestro. A partir de ese día comenzó a enseñarme a ministrar. Entendí cómo podemos caminar en el poder del Espíritu. La comunión con el Espíritu Santo es más profunda que el bautismo. Te lleva a conocerlo más.

Cuando pasas horas oyéndolo, esperando sus instrucciones, amándolo, deseándolo, es allí donde Él da instrucciones de lo que ha determinado hacer. En el Libro de **1 Corintios 2:10** dice que Dios nos revela lo profundo de Él a través del Espíritu Santo.

Cierto día iba muy enojado porque unos hermanos habían hablado mal de otros. Para ese momento tenía unos tres o cuatro años de convertido, entonces le dije al Espíritu Santo: «¿Tú has visto lo chismoso que es fulano?». A lo que respondió: «No trates de murmurar conmigo. Yo no hablo mal de nadie». Ante Su respuesta, me quedé callado.

Día a día fui conociéndolo. Es una amistad que va aumentando a medida que vas teniendo mayor intimidad con Él. Hoy aprendes qué cosas le gustan. Mañana lo que no le gusta. Pasado mañana descubres qué lo entristece. Es una amistad. El tiempo que pasas con el Espíritu Santo es la oportunidad que tienes de conocerlo. Desde ese tiempo comencé a tener una comunión en profundidad, una santidad, una paz, un nivel extraordinario de relación con Dios.

Pero ¿cómo puedo explicar lo inexplicable? Recuerdo que me invitaron a un retiro a predicar. Todavía estaba aprendiendo a conocer la voz del Espíritu Santo. Hay quienes creen que por haber estado una noche con Él en comunión, ya lo conoce todo. Pero no es así, es poco a poco. Mientras estaba en el retiro, el Espíritu Santo me dijo en secreto: «Hay una muchacha que tiene un tumor en el medio de los senos. Dile que hoy la voy a sanar». Yo estaba comenzando, pero era obediente a Su voz. Entonces tomé el micrófono rápidamente e hice una invitación al altar diciendo: «El Espíritu Santo me dice que hay una mujer que está enferma y va a ser sanada. Ella se dará cuenta porque, al momento de orar, se caerá al piso». Esa fue la señal que di. Recién había salido de un tiempo de intimar tan profundamente con Él que, si te topabas conmigo, te encendías como un bombillo. Entonces levanté la mano y dije: «En el nombre de Jesús», y cayeron unas treinta personas. Eso me complicó, ya no sabía cuál era la que tenía el tumor, y al preguntar, ninguna de ellas dijo que era la persona sana. Regresé a casa turbado, y le dije al Espíritu Santo: «Tú me dijiste que había una mujer a la que estabas sanando, ¿qué pasó?». Pero Él solo hizo silencio. Dos semanas después me invitaron nuevamente al retiro, y cuando iba entrando, una joven me estaba esperando y me dijo: «Yo era la mujer del tumor que mencionó hace dos semanas. Cuando caí al piso fui sanada».

Él nos enseñará todas las cosas

Jesucristo no solo nos presenta al Espíritu Santo como el «Consolador», que significa abogado, intercesor, ayudador, también lo presenta como el que nos enseña. De hecho, en otra traducción original de la Biblia, ese texto dice: «*Pero el **Abogado**, el Espíritu Santo*» *(Juan 14:26 BLP)*. En otra, dice: «*El **Defensor**, el Espíritu Santo*» *(DHH)*. Otra versión lo presenta como «*El Consejero, el Espíritu Santo*» *(PDT)*. También dice en otra versión: «*El Consolador, el Espíritu Santo (...)*» *(NVI)*. Por tanto, no solo es nuestro consolador, abogado, defensor y consejero, sino que es nuestro **Maestro**.

La ventaja que tiene el Espíritu Santo sobre los maestros terrenales, es que Él no necesita acceder a información, a libros y a historias, tampoco necesita ser enseñado por otros. Al Espíritu Santo nadie le enseña. Él tiene toda la información que vamos a necesitar durante toda nuestra vida.

Jesús lo presenta como Aquel que nos puede enseñar, y no solo eso, Él dice: «Y él les recordará a ustedes todo lo que yo les he dicho». Una de las funciones del Espíritu Santo como persona, es ser nuestro Maestro. Por lo tanto, todo lo que necesitemos saber, el Espíritu Santo nos lo puede enseñar. Todo lo que necesitemos conocer acerca de la unción, de los milagros y de la fe, Él nos puede instruir.

La versión Reina Valera 1960 dice: «*Y él te enseñará*». La traducción bíblica BLP sobre el mismo versículo dice: «*Pero el abogado, el Espíritu Santo, a quien el Padre enviará en mi nombre, hará que ustedes recuerden cuanto os les he enseñado y él os lo explicará todo*». Jesús dice que el Espíritu Santo puede explicártelo todo. Si tienes un sueño y no sabes qué significa, arrodíllate y empieza a implorar su explicación, y Él te lo enseñará.

Así que no hay justificación para no saber de las cosas espirituales cuando tenemos un Maestro que siempre está dispuesto a enseñarnos. Él escribió la Biblia, inspiró a hombres santos a redactar cada palabra de las Escrituras. No hay nadie en esta tierra que conozca más la Biblia que el que la hizo: el Espíritu Santo de Dios.

Él mantendrá vivas las enseñanzas de Jesús, recordándonoslas y explicándonoslas: «hará que ustedes recuerden cuanto les he enseñado».

En el Libro de *1 Juan 2:27*: *«Pero la unción que vosotros recibisteis de él, permanece en vosotros y no tenéis necesidad de que nadie os enseñe. Así como la unción misma os enseña todas las cosas»* *(RVR1960)*. No podemos buscar sabiduría fuera de la unción del Espíritu Santo.

Muchos cristianos buscan tener más conocimiento teológico que el resto de sus consiervos, y para lograrlo leen un sinnúmero de libros que no están inspirados por el Espíritu Santo. Reciben información y enseñanzas que luego quieren predicarlas y desatan una gran confusión. Esto ocurre porque tienen comezón de oír acerca de los misterios que aún no fueron revelados por el Espíritu, y así terminan trayendo confusión.

La Palabra, de acuerdo con la versión Reina Valera, nos dice que «la unción nos enseña». La versión Nueva Traducción Viviente dice: «Ustedes han recibido al Espíritu Santo, y él vive dentro de cada uno de ustedes, así que no necesitan que nadie les enseñe lo que es la verdad. Pues el Espíritu les enseña todo lo que necesitan saber, y lo que él enseña es verdad, no mentira. Así que, tal como él les ha enseñado, permanezcan en comunión con Cristo». El Espíritu Santo, el Espíritu de Cristo es quien nos enseña, Él es un **maestro**.

> *No tenemos necesidad de que otro nos enseñe lo que el Espíritu Santo ya nos está enseñando.*

El Espíritu Santo en el Antiguo Testamento

En **Nehemías 9:20** dice: *«Y enviaste tu buen Espíritu para enseñarles»*, hablándole al pueblo de Israel. El Espíritu Santo no solo enseñó en el Nuevo Testamento, sino que en el Antiguo Testamento se muestra cómo el Espíritu revelaba las cosas de Dios al hombre y lo hacía entender.

El Libro de **Job 32:8** dice esto: *«Ciertamente espíritu hay en el hombre y el soplo del Omnipotente le hace que entienda»*.

¿Qué significa esto? Que no hay forma de tener entendimiento de las cosas de Dios si no es por Su soplo. No hay forma de acceder a los misterios y a la revelación de Dios si el Espíritu no nos lo revela.

La única manera por la cual el hombre, a pesar de que tiene el Espíritu, dice Job, pueda entender los misterios de Dios, es porque Su soplo está sobre él.

En el Antiguo Testamento, el Espíritu también enseñaba a profetizar, instruía acerca de cómo hacer algunas tareas, capacitaba a ciertas personas para el servicio. Por ejemplo, en Éxodo 31:2-5, muestra cómo llenó de sabiduría a Bezaleel para realizar la obra de arte del Tabernáculo: «Mira, yo he llamado por nombre a Bezaleel hijo de Uri, hijo de Hur, de la tribu de Judá; y lo he llenado del Espíritu de Dios, en sabiduría y en inteligencia, en ciencia y en todo arte, para inventar diseños, para trabajar en oro, en plata y en bronce, y en artificio de piedras para engastarlas, y en artificio de madera; para trabajar en toda clase de labor».

La Biblia está llena de relatos que nos confirman que el Espíritu de Dios es nuestro verdadero pastor, es quien nos guía, nos dirige y nos enseña.

Cuando me convertí, comencé a buscar a Dios con todo mi corazón. Abría la Biblia y no entendía absolutamente nada. Pero una de las primeras palabras que leí fue Mateo 4, donde relata que Jesús predicaba el evangelio del reino y echaba fuera los demonios. Y luego predicaba en Zabulón y continuaba en todas las regiones. Eso era lo único que yo repetía, lo que decía la Biblia. Hasta ahí llegaba. Simplemente, yo hablaba lo que leía. Pero comencé a pedirle a Dios: «Señor, abre mi corazón, dame ciencia para entenderte, dame conocimiento para escudriñar la Palabra. Enséñame a predicar, muéstrame los misterios, revélame lo que está escondido», y a medida que oraba iba descubriendo lo que Él me enseñaba.

Ahora, puedo ver un versículo y de ese texto, preparar un mensaje sin haberlo estudiado en profundidad, porque el Espíritu me lo va enseñando a medida que lo voy leyendo. Es como un panorama que te presenta y comienzas a ver las cosas como Dios quiere que las veas, de acuerdo con la necesidad que haya en el lugar donde te estén escuchando.

Es por eso por lo que, yo puedo tomar un texto y tú puedes leer el mismo, y cada uno de nosotros tener una revelación diferente, porque el Espíritu acomoda el mensaje de acuerdo con la preparación de cada oyente, a la instrucción que está necesitando.

Por ejemplo, un domingo predico acerca de la historia de Ana, cuando fue al altar y dijo: *«Jehová de los ejércitos, si te dignares mirar a la aflicción de tu sierva, y te acordares de mí, y no te olvidares de tu sierva, sino que dieres a tu sierva un hijo varón, yo lo dedicaré a Jehová todos los días de su vida, y no pasará navaja sobre su cabeza»* **(1 Samuel 1:11)**. Mi predicación puede enfocarse en que, primero que a nadie debemos ir a Dios, ese es el secreto. Entonces digo por el espíritu: *«Porque cuando tú, como Ana, te atreves a ir a Dios primero, Él entonces se acordará de ti»*. De pronto, alguien con esterilidad en lo físico o en lo espiritual, recibirá esa enseñanza. Aunque no estaba pensando en predicar acerca de la esterilidad, igualmente el Espíritu acomodó esas palabras bíblicas de manera que impactaron a algunos que estaban en la reunión, y Dios me lo mostró. Entonces entendí que, aunque la enseñanza iba hacia otro lado, realicé un giro, y mi espíritu recibió lo que Dios estaba revelando, y dije en oración: «Hoy se cancela la esterilidad matrimonial, financiera, ministerial y se abren las matrices». El Espíritu de Dios es quien enseña.

Hay dos formas de recibir las enseñanzas del Espíritu Santo: a través de tu espíritu en contacto con el Espíritu de Dios, y a través de hombres ungidos como maestros, llenos del Espíritu de Dios.

El Espíritu Santo, según Job, dice que los hombres entendemos y conocemos de Dios porque el **Omnipotente sopló sobre nosotros**. Por ejemplo, a través de este libro Dios te está enseñando algo que necesitas saber. Pero si comienzas a escudriñar a solas, entonces, yo ya no tengo que intervenir, sino que Él te enseña otras cosas que yo no te estoy enseñando. Comenzarás a visualizar cosas en tu vida que antes no veías. Él te enseñará y te revelará misterios que antes no sabías.

> *Espíritu Santo, no sé pastorear, enséñame.*
> *Espíritu Santo, no sé comportarme, enséñame.*

¿Cómo podemos ser enseñados por el Espíritu Santo?

Abandonando lo natural y recibiendo lo espiritual

«Lo cual también hablamos, no con palabras enseñadas por sabiduría humana, sino con las que enseña el Espíritu, acomodando lo espiritual a lo espiritual» **(1 Corintios 2:13 RVR1960).**

¿Qué nos quiere enseñar este versículo cuando dice: «acomodando lo espiritual a lo espiritual»? No hay forma de que el Espíritu pueda enseñar a una personal carnal. Porque lo espiritual se acomoda solo a lo espiritual. Él encaja lo espiritual donde está el espacio para lo espiritual, pero no puede acomodar lo espiritual en una mente carnal. El Espíritu no enseña en la mente sino en el espíritu.

En la versión bíblica BLP, la Palabra dice lo siguiente: *«Esto es precisamente lo que expresamos con palabras que no están inspiradas por el saber humano, sino por el Espíritu. Y así acomodamos las cosas espirituales a los que poseen el Espíritu».*

Las cosas espirituales no se encuentran en las redes sociales ni en sitios de internet. Allí solo se encuentra información que ayuda, pero lo que el Espíritu enseña se encuentra solo con Él. No puedo recibir una enseñanza del Espíritu a través de un brujo, porque la fuente que enseña no proviene de inspiración humana sino divina. Esto no significa que un día desperté y vi algo que luego, humanamente puedo enseñarlo. Sin embargo, lo humano no funciona con las cosas del Espíritu. La versión La Palabra agrega luego: «Y así acomodamos las cosas espirituales a los que poseen el Espíritu».

Cuando leí esta traducción bíblica dije: «Gracias, Señor. No me estresaré más por aquellos que no entiende, porque el único que me entenderá es el que tiene tu Espíritu dentro de él».

Así que, la próxima vez que alguien se burle de ti por las cosas espirituales, es tiempo de decirle: «Oraré por ti, ya que no puedes entenderme por cuanto no tienes el mismo Espíritu que mora en mí».

Se levantarán contra las cosas espirituales

Quienes se levantan en contra de las cosas espirituales es porque no entienden al Espíritu, no lo oyen y no creen en Él. En oportunidades veo entrevistas que realizan las personas naturales a las espirituales, entonces veo cómo los espirituales se vuelven naturales para intentar explicarles lo que ellos no pueden percibir ni ver.

Cierto día Dios me pidió que fuera a un terreno que queríamos comprar. Al llegar me dijo: «Escupe sobre la tierra». Aunque no entendí su pedido, obedecí. Luego me dijo: «Tu ADN está aquí ahora. Esto será para mi casa».

El valor de venta de ese lugar era de medio millón de dólares. Cuando fui a negociar para comprarlo, el Señor logró que me hicieran una rebaja hasta pagarlo treinta y cinco mil dólares. Aquellos que me pudieron haberme visto dirían: «Ese tipo está loco. Es asqueroso y sucio escupir saliva». Pero, aunque inicialmente no entendí el pedido del Espíritu, luego supe que lo espiritual no puede encajar en lo natural, y no estoy obligado a explicarles a la gente natural lo que sé que no van a entender porque no tienen el Espíritu de Dios en ellos.

Deseo que puedas cambiar tu mentalidad humana y comiences a creer lo que dice la Biblia. ¿Cómo van a encajar las cosas de fe con la gente natural? No encajan. Y aunque queramos intentarlo, no sucederá. Por lo tanto, es normal que tu compañero de trabajo se burle de las cosas que tú crees. Si te enojas es porque a ti te falta entendimiento. Él no puede reaccionar de otra forma, ya que no conoce lo que tú conoces, no ha visto lo que tú has visto, no ha sentido lo que tú sientes. Así que, no trates de encajar con él. Mantente firme en lo que Dios te ha revelado, que tarde o temprano, si Dios tiene misericordia, será alcanzado y podrá también entender.

Acomodando lo espiritual a los que tienen el Espíritu

Nunca le pido consejo a la gente que piensa solo de manera natural. Pues, ¿qué respuesta me daría acerca de las cosas sobrenaturales? La gente que vive en el mundo natural no acepta lo sobrenatural. No se puede encajar lo que no encaja. Es que el mundo no puede verlo ni recibirlo.

Jesús dijo: *«El Espíritu de verdad, al cual el mundo no puede recibir, porque no le ve, ni le conoce; pero vosotros le conocéis, porque mora con vosotros, y estará en vosotros»* **(Juan 14:17)**. La única forma de que el hombre natural pueda entender el mundo sobrenatural es predicándoles acerca de Jesús y que puedan aceptarlo y recibir al Espíritu Santo. Nunca trates de convencer a alguien sobre las cosas espirituales cuando no tienen el Espíritu de Dios. De esa forma expones tu posición, tu visión y lo que Dios te ha dicho. Mantente firme en lo que crees y espera hasta que Dios transforme o toque a esa persona, pero no lo empujes a creer en cosas que todavía no están en ellos.

La Palabra relata el momento en que Dios le dijo a Gedeón para prepararse en la campaña al Jordán, eran treinta y dos mil personas a su alrededor **(Jueces 7)**. Cuando la gente es de Dios, de repente comienza a venir de todos lados.

Jesús dijo: *«El que es de Dios, las palabras de Dios oye; por esto no las oís vosotros, porque no sois de Dios»* **(Juan 8:47)**. Él nunca se detuvo a perder tiempo con los fariseos, porque entendía que no eran de Dios, y era natural que reaccionaran así, pues no tenían al Espíritu de Dios.

Y al igual que Gedeón, cuando le dices a la gente: «Vamos a conquistar la Tierra». Y ellos responden: «No, no podemos. Tenemos miedo». Diles: «Entonces no tienen espíritu de guerreros, sino de cobardía. No puedo ir a la guerra con ustedes porque debo caminar con quienes tienen espíritu de conquista, de guerra y de victoria en Cristo Jesús».

Para ser enseñados por el Espíritu Santo debemos desvestirnos de lo natural y recibir lo que viene del Espíritu.

Una mente lógica jamás tendrá fe

¿Cómo brilla la Luna? ¿Cómo sale el sol todos los días al mismo horario? ¿Cómo es que en verano el Sol sale más temprano que en el invierno? La astronomía que ha estudiado puede explicarlo diciendo que la rotación solar siempre es de 24 horas, pero también gira la Tierra, y es entonces cuando el Sol está más cerca o más lejos de nosotros y es entonces cuando amanece más temprano o más tarde.

Podemos preguntar: ¿cómo florece una planta, luego da frutos y te alimentas de ella? ¿Cómo puedes desde tu celular comunicarte con tu tía que vive en otro país? ¿Podemos creer las teorías científicas sobre el Sol y la Luna, aceptar los avances tecnológicos que no entendemos racionalmente, pero no podemos creer las cosas sobrenaturales? Aunque la tecnología avance y muchos aún no comprendan cómo al girar una perilla se enciende la luz, aun así, les es difícil creer en las cosas del Espíritu. La lógica natural jamás podrá entender lo espiritual. Cuando tratas de calcular a Dios, terminarás en el infinito.

¿Cómo brilla la luna? ¿Por qué el mar no inunda la tierra? ¿Cómo pueden volar las aves? ¿Cómo ha calculado Dios todas estas cosas? Si pretendemos acercarnos a Dios con una mente lógica, nunca lo alcanzaremos.

Hay cosas de Dios que son simplemente para rompernos la lógica, que no podemos tomar un lapicero y calcularlo porque no vamos a llegar ahí.

Dios dice: *«Él da esfuerzo al cansado, y multiplica las fuerzas al que no tiene ningunas»* **(Isaías 40:29)**. Si sabes algo de matemáticas podrás comprender que no puedes multiplicar 0 x 2 y darte como resultado 2. ¿Puedes entender esto? Esta es la matemática de Dios. Los seres humanos nunca la vamos a entender. Queremos descansar en nuestra sapiencia, en nuestra inteligencia y no terminamos de rendirnos a la sabiduría de Dios. En **Salmos 147:5** dice que el entendimiento de nuestro Dios es infinito. El Espíritu Santo diseñó cada cosa que existe y las hizo exactamente como el Padre las había pensado.

Es por esa razón que debemos saber que una mente natural y lógica jamás tendrá una vida sobrenatural y de milagros. Por ejemplo, ¿en qué lugar de la ciencia o del mundo natural encaja que un hombre ciego sea sano después de que Jesús haya escupido a la tierra, hecho lodo y se lo haya colocado sobre sus ojos? Por eso la ciencia nos llama «locos». Pero antes de que nos llamaran así, Pablo los llamó a ellos «naturales» cuando dijo que «mentes naturales no pueden entender las cosas espirituales».

Las mentes naturales no pueden entrar a la atmósfera sobrenatural. Por eso la ciencia no puede entendernos y dice: «No hay Dios». Es más fácil para ellos negarlo que tratar de descubrirlo a través de la ciencia. Niegan los milagros. Declaran que no hay cielo ni infierno. Enseñan que somos parte de la evolución, resultado del Big Bang.

La lógica es un obstáculo para la fe

Si tratamos de acercarnos a Dios por medio de la lógica, nunca le conoceremos ni caminaremos en lo sobrenatural. La lógica es un obstáculo para recibir milagros. Si Dios te dice: «Te voy a dar la casa que necesitas». Y tu respuesta es: «Pero Señor, no tengo dinero». Estás respondiendo a través de la lógica que declara: Si quieres comprar una casa, necesitas tener dinero.

Si a través de los estudios médicos el doctor te diagnostica: cáncer terminal, pero luego viene un hombre de Dios, ora por ti y te dice: «Estás sano». La lógica dice que es imposible que alguien sea sano de cáncer con solo una oración. Pero si tienes fe, esta te dice: «Hecho está», y eres sano.

«Pero Jesús, volviéndose y mirándola, dijo: Ten ánimo, hija; tu fe te ha salvado. Y la mujer fue salva desde aquella hora» **(Mateo 9:22)**.

Si tratamos de servir a Dios mediante la lógica, no lo lograremos. Debemos servirlo con los ojos cerrados y el corazón abierto, únicamente con fe. Como cristianos llenos del Espíritu no debemos dejarnos llevar por la lógica, porque las predicaciones carecerían de poder, y terminaríamos creyendo que el cielo no existe y que Cristo no regresará. Si nos dejamos llevar por las teorías e historias antibíblicas, podemos terminar desfalleciendo. Recuerda que Cristo dijo acerca del anticristo: *«Porque se levantarán falsos cristos, y falsos profetas, y harán grandes señales y prodigios, de tal manera que engañarán, si fuere posible, aun a los escogidos»* **(Mateo 24:24)**. También dijo: *«Si no se acortaran esos días, nadie sobreviviría, pero por causa de los elegidos se acortarán»* **(Mateo 24:22 NVI)**. Hasta los escogidos temblarían. No podemos salir de las enseñanzas de la Biblia. Tenemos que mantenernos firmes, creyendo lo que dicen las Escrituras.

Cuando Dios me llamó a predicar, me dijo que iría a las naciones de la tierra. Para ese momento, yo no predicaba en ningún púlpito. Nunca había subido a un avión, solo los veía pasar por el cielo. Sin embargo, Dios me dijo: «Caminarás la Tierra, llenarás los estadios, y muchas cosas más». ¿Llenar los estadios? Si mi iglesia tenía doce miembros que cuando les predicaba, se dormían.

Un día me frustré y le dije: «Dios, ¿de qué me hablas? Si no tengo ni cinco dólares para comprar la antena de mi celular que se ha roto, y me dices que iré a otros países». Dios no se mueve por circunstancias, por emoción ni por la lógica. Él tiene un plan trazado para tu vida.

El Espíritu Santo me reveló que la lógica y el razonamiento ha sido el mayor obstáculo para que muchos ministerios se lancen, para que mucha gente ejerza su llamado y crezca.

La Biblia dice que «el justo por la fe vivirá». Suelta la lógica que dice «no se puede», porque la fe dice: «Todo lo puedo en Cristo que me fortalece». La lógica dice que no hay dinero, pero la Biblia dice: «Mi Dios, pues, suplirá todo lo que nos falta conforme a sus riquezas en gloria en Cristo Jesús».

> *Suelta la mentalidad natural, la lógica, tápate los ojos y camina como un ciego, si es necesario, pero camina por fe, creyéndole a Dios.*

Déjate direccionar por el Espíritu Santo

Fuiste diseñado para ser dirigido por el Espíritu Santo y por la fe. Un día, cuando vivía en República Dominicana, Dios me dijo: «Juan Carlos ve a Kansas City, Estados Unidos, con tu esposa, tus dos hijos y el tercero que estaba todavía por nacer». Entonces surgieron dudas en mi mente: «¿De qué viviríamos?». Pero inmediatamente me respondí a mí mismo: «No sé ni me interesa. El que me llamó, no lo hizo para que pasara hambre, sino para ser su siervo». Así llegamos a Estados Unidos.

Poco tiempo después me dijo: «Compra ese templo». Inmediatamente, la lógica quiso intervenir diciendo: «¡No hay dinero!». Pero la fe me impulsó, nos movimos, lo compramos y pudimos pagarlo. Nunca permitas que la lógica se interponga. Si sientes que tu espiritualidad se está convirtiendo lógica en Dios, ora y ayuna hasta que se rompa ese razonamiento y comiences a vivir por la fe.

Dios llamó a Moisés a los ochenta años. ¿Qué lógica tiene eso? Le dijo: «Ve Moisés a hacer milagros». ¿Quién tiene fuerzas a esa edad para dedicarse a viajar por el mundo y hacer milagros? Solo a Dios se le ocurre eso. ¿Por qué no lo escogió a los cuarenta o a los treinta, que estaba fuerte? Y Moisés estuvo cuarenta años manifestando el poder de Dios en la Tierra.

Dónde está la lógica de ir ante un río, como Elías, y decir:

—Quiero pasar del otro lado, ¿hay un puente?

—No, debes cruzarlo por las aguas, —responde Dios.

—Pero Señor, ¿cómo hago?

—Pégale con ese trapo, —responde el Señor.

¿Qué lógica tiene usar un trapo para abrir el Jordán? Ninguna, pero Elías llegó, no calculó, no analizó: *«Tomando entonces Elías su manto, lo dobló, y golpeó las aguas, las cuales se apartaron a uno y a otro lado, y pasaron ambos por lo seco» (2 Reyes 2:8)*.

Cómo me gustaría que hubiesen entrevistado a Elías y pedido explicaciones: «Elías, explícanos, ¿cómo se abrió el río Jordán?». La respuesta de Elías hubiera sido tajante al decirles: «Jehová lo abrió». Dios te va a mandar a hacer cosas que nadie ha hecho. Entonces se levantarán para criticarte, porque no te entenderán. Solo quieren aplaudir lo que conocen, pero Dios es misericordioso y cada mañana renueva sus misericordias.

> *¡Reprendo toda lógica que se esté interponiendo entre tú y el Espíritu de Dios, entre tú y el milagro de Dios para tu vida!*

La gente de Dios espera el milagro

La gente de fe, que cree en un Dios de milagros, no piensa cómo van a ocurrir los milagros, solamente los esperan. La gente de fe no sabe cómo va a comprar la casa, pero ya compraron el llavero donde guardarán las llaves.

La gente de fe no tiene la visa aprobada, pero ya están comprando las maletas con las que volverán de visita a su país.

¿Cómo entenderás a una mujer de fe? Jamás.

Cuando le dicen:

—Mira a tus hijos que están apartados al Señor y consumen droga, —a lo que ella responde.

—Yo les compré una Biblia, corbatas y micrófonos. Sé que un día ellos aceptarán al Señor, ellos van a predicar o a profetizar.

—Estás loca, —responden desde la lógica.

Es que quienes no son de la fe, no entienden la fe. Solo el espiritual va a entender la fe del espiritual sin procesarlo a través de la lógica. La mente natural no va a entender las cosas del Espíritu.

Jesucristo les dijo a quienes lo perseguían por obrar milagros el día sábado: «Hasta ahora mi Padre trabaja, y yo trabajo». No importa el día de la semana que sea, la hora, el mes, ni la estación, ni el año, tampoco el lugar, Dios siempre está en movimiento, creando cosas nuevas, mejorando las que ya están, conduciéndonos y haciendo miles de cosas inimaginables para nosotros.

¿Quién entendería a una mujer de Dios que siente que en su casa hay guerra espiritual y se levanta a las tres de la mañana a ungir cada habitación con aceite? Le dirían: «Está loca. ¿Qué hace?». Es que no pueden entender lo que ella vio, escuchó, recibió y percibió. No vinimos para complacer a los demás, sino para obedecer al Dios Todopoderoso.

> *La obra de Dios no se detiene;*
> *no somos estrellas, somos siervos.*

Donde unos terminan, otros comienzan

Lo grande no fue que Elías haya abierto el Jordán, sino que su discípulo regresó y dijo: «¿Dónde está el Dios de Elías?». Y de la misma forma que lo hizo Elías, lo abrió Eliseo. Elías abrió el Jordán al finalizar su ministerio. Eliseo lo abrió al comenzarlo. Mientras unos están terminando. Otros comienzan. Cuando sea anciano y ya no pueda ministrar como lo hago hoy, para ese tiempo Dios habrá levantado nuevos ministros que hoy están en preparación.

El Espíritu Santo enseña. Comencé escribiendo acerca del Espíritu Santo y de cómo Él es nuestro Maestro. Ya finalizando el capítulo te estoy enseñando lo que a la final el Espíritu determinó que sería.

«Los habitantes de Jericó dijeron a Eliseo: — Mira, la situación de la ciudad es buena, como puedes ver. Pero el agua es mala y la tierra, estéril. Eliseo les dijo: — Traedme un plato nuevo con sal» **(2 Reyes 2:19-20 BLP)**.

¿Qué lógica tiene echar un paquete de sal a una fuente de agua que está en mal estado? No hay lógica alguna. Pero como vengo diciendo, a Dios no lo servimos con lógica, sino con el espíritu.

En una oportunidad, en Cuauhtémoc, México, tuve una experiencia que me dejó un gran aprendizaje. Fui a orar por una mujer que era paralítica. Cuando vi sus dedos y sus pies, pensé: «¿Cómo se le van a enderezar?». Por un minuto me dije a mí mismo: «No, no se va a poder levantar». De pronto oí que Dios me dijo: «Cierra los ojos para que la duda no se apodere de ti». Oré con los ojos cerrados para no ver los pies torcidos, porque iba a dudar. Al abrir mis ojos la mujer estaba caminando con sus dedos y pies derechos. Dios los enderezó sobrenaturalmente. Ella fue sanada. Así que:

> **Si algo te puede impedir el fluir de Dios, desactívalo de tu cuerpo en ese momento.**

Lo espiritual se acomoda

«Moisés hizo partir a los israelitas desde el mar de las Cañas en dirección al desierto de Sur. Caminaron por el desierto tres días sin encontrar agua; llegaron a Mará donde no pudieron beber de sus aguas, porque eran amargas. Por eso se llama ese lugar Mará, —es decir, amargura—. El pueblo comenzó a quejarse de Moisés,

diciendo: —¿Qué vamos a beber? Entonces Moisés invocó al Señor, y el Señor le mostró un arbusto. Moisés lo arrojó al agua y las aguas se volvieron dulces» ***(Éxodo 15:22-25 BLP)***.

¿Un arbusto endulzó el agua? No hay lógica en esta acción, sino fe y obediencia. Y Moisés dijo: «Corten esa mata y tírenla al agua». Después de un rato bebieron de esa agua y era dulce, cristalina. Con solo un arbusto resolvieron el problema. Pero nosotros queremos buscar todas las formas posibles para solucionarlo, cuando Dios puede hacerlo hasta con unas cuantas hojas, porque ahí es donde Él demuestra lo que es.

En resumen, el Espíritu Santo es nuestro Maestro. Él nos habla directamente a través de hombres y mujeres ungidos y podemos entenderlos únicamente a través del Espíritu. Lo natural no comprenderá lo espiritual. Muévete en la fe y no en la lógica, porque jamás podrá descifrar los métodos de Dios y será un obstáculo para que la fe manifieste sus frutos. La obra de Dios nunca se detiene, no importa el tiempo, el lugar o la circunstancia.

Dios tiene un plan trazado para tu vida. Él lo cumplirá.

JUAN CARLOS HARRIGAN

Capítulo III

El Espíritu Santo es mi Guía

*«Pero cuando venga el Espíritu de verdad, él os guiará a toda la verdad; porque no hablará por su propia cuenta, sino que hablará todo lo que oyere, y os hará saber las cosas que habrán de venir» **(Juan 16:13)**.*

Hace muchos años el Espíritu de Dios me llamó para que les hablara a otros de Él, y los guiara a ser sus amigos. Desde ese momento, ya no buscaba una manifestación, lo buscaba a Él. Ya no buscaba Su fuego, sino a Él. Ya no buscaba Sus milagros, lo quería a Él. Ya no buscaba Su prosperidad, solo quería conocerlo a Él.

Cuando leí en la Biblia que Dios llamó a Abraham, «amigo», decidí que cueste lo que cueste lograría ser «amigo de Dios». En la Palabra aprendí la teoría, el testimonio y la historia, pero luego comencé a vivir la experiencia. Me vi impulsado a conocerlo mejor.

Es una amistad que hoy conoces lo que le gusta, mañana lo que no le gusta y pasado mañana lo que le entristece. Eso es una amistad. Él es el único maestro que te puede ayudar a conocer al Espíritu Santo. Puedes pasar tiempo con todos los profetas y los hombres de Dios, pero lo vas a conocer a Él de esta forma. Ellos te ayudarán a

69

entender algunas cosas, pero solo pasando tiempo con Él, lo conocerás.

El Espíritu Santo es quien me dirige, me pastorea, me conduce, me lleva al propósito, me muestra hacia dónde debo ser dirigido para hacer Su voluntad. Cuando el Espíritu Santo nos habla, sabemos que es Dios quien está hablando, porque Cristo dijo: «Él no hablará por su propia cuenta, sino que hablará lo que oye del Padre». Este es un principio poderoso. Él tiene voluntad para hablar por su cuenta, pero ha decidido repetir lo que Dios dice. Cristo no solo lo presenta como nuestro Consolador y Ayudador, sino que lo presenta como el que nos guía.

El Espíritu Santo es quien nos guía

Un guía es alguien que te lleva a lugares que desconoces. Es alguien que te conduce a donde tú solo no puedes llegar.

Cuando viajé a Israel contratamos a un guía para que nos llevara al río Jordán, ya que yo no conocía la tierra de Jerusalén. Si no nos hubiera acompañado y guiado, hubiera pasado meses tratando de llegar y probablemente no lo hubiera logrado.

De la misma manera, hay un mundo espiritual que desconocemos y que solamente un guía puede direccionarnos y llevarnos exactamente a donde Dios quiere llevarnos. ¿Quién conoce el mundo espiritual, sabe lo que Dios quiere de mí y además está dispuesto a enseñarme? Esa persona es el Espíritu Santo. Solo Él puede ser ese guía. Me complace decirte que: «Dios, el Espíritu Santo, está listo para guiarte. No tienes que andar a ciegas ni tienes por qué perderte en el camino de la vida, el Espíritu Santo es nuestro guía. Él nos dirige y nos conduce a toda verdad». Ser guiados por el Espíritu Santo tiene grandes beneficios, veamos algunos de ellos:

1. No perdemos tiempo.

Cuando somos guiados por el Espíritu Santo no perderemos el tiempo, porque no andamos en confusión, a ciegas, ni improvisando; sino que llegaremos al lugar seguro, a lo eterno, a lo que Dios determinó para nuestra vida. Tendremos dirección divina.

Cuando somos guiados por el Espíritu, nunca perdemos, siempre ganamos; no fracasamos, siempre triunfamos; porque somos dirigidos por Dios mismo, y Él conoce los caminos hacia el triunfo. Quien obedece y se somete a Dios no fracasa nunca, siempre está en victoria.

2. Somos hijos de Dios.

El segundo beneficio también muy importante está en **Romanos 8:14**, que dice: «*Porque todos los que son guiados por el Espíritu de Dios, son hijos de Dios*».

La forma de saber si somos hijos de Dios no es tener la Biblia debajo del brazo, ni sobre la mesa de noche abierta en el salmo 91. Tampoco es ir a la iglesia a sentarme y decir: «Aleluya». Eso no nos hace cristianos ni siervos de Dios, sino que lo somos cuando permitimos ser guiados por Su

Espíritu. Pero también debemos saber que Dios no guía a rebeldes ni a pecadores. Dios guía a sus hijos e hijas.

Si quieres saber si algo que no está en la Biblia es pecado, pregúntale al Espíritu Santo. Por ejemplo, en la Biblia no hay referencia directa acerca del cigarrillo, pero ¿crees que fumar le da gloria a Dios?

Tampoco la Biblia hace referencia directa a si se puede ingresar a una discoteca, pero cuando lo haces, ¿glorificas a Dios? Muchos son necios en su propia opinión para justificar su pecado. Pero debes tener cuidado, tarde o temprano alguien puede venir contra ti. «Dios es paciente, pero no ciego ni sordo.»

Cuando somos guiados por el Espíritu, el beneficio más importante es que nos garantiza que somos sus hijos.

3. *Dependemos de sus recursos.*

Uno de los secretos para vivir en lo sobrenatural es caminar bajo la guía del Espíritu de Dios, porque al ser guiados por Él, caminamos en Su plano, no en el nuestro. Por lo tanto, no dependemos de nuestros recursos, sino de los de Dios, quien quiere manifestarnos Su voluntad.

Por ejemplo, cuando Moisés fue a Egipto, no llegó por su cuenta, Dios lo envió. Moisés había huido de Egipto, no quería volver. Pero Dios lo envió con una misión: Sacar a Su pueblo de la esclavitud. Cuando Moisés se presentó frente a faraón, no lo hizo en su nombre, llegó respaldado por Aquel que se le apareció en la zarza ardiendo, le habló y lo envió.

Cuando somos enviados por Dios, y llegamos a un lugar, lo hacemos en representación de Él. De esta manera, todos los recursos de Dios estarán a nuestra disposición para que podamos cumplir Su voluntad, el propósito que nos fue revelado y por el cual fuimos enviados.

Cuando Moisés hizo todas las maravillas, las realizó en el nombre de Aquel que le ordenó que fuera, le dio una vara y le dijo: «Asegúrate de hacer maravillas delante de mi pueblo y de faraón». Moisés nunca usó la vara para su propio beneficio, sino para realizar el plan de Dios. Muchos creen que la vara de la unción que les fue entregada es para su favor, pero no es así.

Cuando Dios te envía no es para tu propio beneficio, sino para el de otro. Moisés nunca usó la vara para hacer milagros para su beneficio, siempre fue para beneficiar a los demás. La vara debía ser usada para liberar a un pueblo de la esclavitud, para hacer renacer la esperanza. En la actualidad, una de las principales causas por la cual muchos no ven lo sobrenatural de Dios en su vida es porque lo quieren usar para su propio beneficio, y no para ayudar a otros.

Colaboradores de Dios

Uno de los secretos que debemos conocer para aprender a fluir con Dios, es colaborar con Él en sanidades, milagros, propósitos, proyectos y expansión. Todo esto es colaborar con Dios.

En una ocasión, estaba en una cruzada que comenzaba un jueves en la noche. Ese día, Dios se movió de una manera muy especial, pero en mi espíritu sentía que en el aire había una guerra muy fuerte. Esa noche decidí no dormir y me entregué a la oración.

Mientras estaba orando, le decía al Señor: «Dime, ¿qué puedo hacer para que ocurran más milagros mañana, para que más gente sea salva? ¿Qué puedo hacer para que cientos sean libres? Dime, ¿qué parte me toca a mí? ¿Qué tengo que hacer para que tu gloria sea exhibida, tu poder sea manifestado y el cautivo sea liberado? Enséñame, Señor, ¿cómo puedo colaborar?».

De pronto el Espíritu Santo me dijo:

—Detente ahí.

En ese instante quedé frizado.

—Acabas de decir la clave: ¿Cómo colaborar para que mi gloria sea vista? Hace años que oras y ayunas para que yo colabore contigo, pero hoy acabas de descubrir que Yo no vine a colaborar contigo. Te llamé y te escogí para que tú colabores conmigo.

En **Salmos 139:16**, David dice: «*Tus ojos vieron mi cuerpo en gestación: todo estaba ya escrito en tu libro; todos mis días se estaban diseñando, aunque no existía uno solo de ellos*».

No estamos en esta tierra para vivir nuestra vida, sino para ser un colaborador de Dios. ¿Qué significa eso?

Oramos, ayunamos y estamos a su disposición permanentemente. Es por eso por lo que debemos decir:

—Espíritu Santo, ¿qué tengo que hacer?

—Colabora conmigo. Llama a los ciegos que los voy a sanar, —nos responde.

Yo no decido qué ciego será sano, solo colaboro con Él y oro por el ciego que va a sanar. Esa noche entendí un misterio que nunca había comprendido.

> *Vine a la Tierra a colaborar con Él, porque ese es Su plan.*

Yo no decidí venir a este mundo. Él lo decidió. Yo no me formé a mí mismo. Él me formó. Yo no me di vida. Él me la dio. Yo vine a colaborar con Él, no Él conmigo. Él no colabora con mi plan, sino yo con los de Él.

Por ejemplo, si Dios dice: «Pon tu mano sobre ese enfermo», yo colaboro, obedezco imponiendo mis manos y oro en el nombre de Jesús. Entonces Él lo sana.

El Espíritu Santo me ayuda a colaborar con el Padre. Pablo lo dice de esta manera: *«Porque nosotros somos colaboradores de Dios» (1 Corintios 3:9a)*.

Luego de esa noche de oración, pasé el día entero preguntándole a Dios: «Señor, ¿cómo colaboro?, ¿en qué colaboro?». Entonces el Espíritu Santo me fue revelando en qué iba a colaborar. Esa noche fue espiritualmente salvaje. Los demonios salían de todas partes y eran expulsados y los enfermos se sanaban. Todo porque había un hombre colaborando con un plan que ya estaba diseñado en la eternidad.

Vinimos a este mundo a colaborar con el reino de Dios, a estar a Su disposición para lo que necesite. No vinimos a vivir nuestra vida, sino a hacer el plan y la voluntad de Dios. Somos esclavos de Jesucristo, estamos atados a Él.

> *Vinimos a hacer Su voluntad.*

Oro que la mentalidad egoísta que a veces tenemos al decidir «vivir para mí» desaparezca totalmente. ¿Por qué hay tantos ministerios que carecen de unción y de poder? Porque tienen la intención de usarla para beneficiarse, enriquecerse, crecer, expandirse y hacerse famosos.

Pero Dios le dijo: *«Y tomarás en tu mano esta vara, con la cual harás las señales»* **(Éxodo 4:17)**. Esa vara no era para el uso personal de Moisés, sino para manifestar que Dios existía y que sus promesas permanecían. Por esa razón fue sencillo para Moisés hacer milagros, ya que él estaba colaborando con un plan.

Dios me habló en un sueño y me dijo: «Tienes que ir a tal pueblo a hacer una campaña. Lleva comida natural y espiritual». El lugar estaba ubicado en República Dominicana. Ni los mismos habitantes de ese lugar sabían que Dios me había enviado. Cada vez que Dios me envía a realizar una campaña, los recursos sobran, tanto en lo económico como en lo espiritual.

Realmente abundan. Aparece alguien de la nada y te da el dinero del ticket de avión. Otro lo del hotel. Alguien más lo del sonido, y así nos van dando todo. Entonces pienso: «¡Dios mío! ¡Qué fácil!». Pero estoy absolutamente en claro que simplemente soy parte del plan, un jugador más, no soy el mánager del equipo. Somos un equipo. Uno da la ofrenda. Otro intercede y ayuna por mí. Un equipo es el que canta y adora. También está el coordinador, y por último estoy yo que soy el predicador. Solo soy parte de un equipo de colaboradores para que el reino de Dios se extienda, las tinieblas sean dispersadas y la luz de Dios llegue a los hogares.

Mientras escribo las páginas de este libro estoy esperando la señal de parte del Espíritu Santo me indique cuándo debo ir. Entonces allí iré. Cancelaré toda la agenda y obedeceré.

¿Por qué la iglesia no crece en su lugar? Porque no colaboramos con Dios, sino armamos nuestro plan y luego le pedimos que colabore Él con nosotros. Cuando entendí la diferencia, todo mi panorama y mi manera de ver el ministerio, cambió. Entendí que no se trataba de mí, que «nunca» se trató ni se tratará de mí. Es Su plan, Su propósito, Su voluntad. Todo se trata de Él. ¡Bendito sea Dios!

Cuando somos dirigidos por el Espíritu, nos convertimos en colaboradores del propósito, del plan y de la voluntad de Dios.

Bajo su guía estamos seguros

Cuando somos guiados por el Espíritu Santo, caminamos bajo Su sombra, Su respaldo, Su protección, Sus recursos. Todo lo que necesitemos para cumplir lo que nos fue revelado, estará a nuestra disposición, ya sean recursos espirituales o físicos. Si Dios nos envía a predicar a África, no debemos preocuparnos por cómo lo vamos a pagar. Acostúmbrate a que primero Dios crea los recursos y luego nos envía. Solo que, en oportunidades, Él nos revela al principio cómo o dónde están los recursos y otras veces, al final.

> *No es necesario que Dios te revele los recursos, simplemente obedece, porque el que te envía, te respalda, y el que invita, paga.*

Cuando te preguntas: ¿Cómo lo lograré? Tienes que saber que esa no debe ser tu preocupación. Debes preocuparte de que ese sea el sueño de Dios. Si Él me dijera: «Mi siervo, constrúyeme un templo». No debería preocuparme cuánto puede costar realizarlo, porque al final no lo voy a pagar yo, sino Dios.

Si soy Su colaborador, no puedo ser mezquino, aunque hay algunos que lo son. En mi caso, como predicador, colaboro con el mensaje, al orar por el enfermo, y no soy mezquino con mi servicio. Pero, hay colaboradores financieros. La Biblia habla de personas que tienen el don de la administración, y otras que tienen el don de ayudar. Debemos entender que somos pasajeros aquí y que debemos poner los recursos espirituales y financieros a los pies de Dios y de sus obras, porque lo único grande en este mundo es la obra de Dios.

Cuando camino bajo Su dirección, camino bajo el poder del Espíritu Santo de Dios, esto está demostrado en las Escrituras. Daré tres ejemplos:

1. *El primer ejemplo es Pedro.*

> El éxito de Pedro se basó en que se dejó guiar por el Espíritu Santo. Fue dirigido, guiado y direccionado por Él. ¿Crees que el Espíritu Santo solo sabe hacer milagros? Él sabe de administración, de pintura, de diseño, etc. De lo contrario, sal y mira lo que ha diseñado allá arriba, en el cielo. Él puede guiarte en levantar la empresa más próspera de este mundo. También puede guiarte a tener el mejor restauran al enseñarte la mejor sazón. Pero luego notarás algo. Él te dirigirá a entregar parte de tus ganancias de la empresa, a poner recursos del restaurante en su obra, para realizar el plan original y el más grande: continuar ganando almas.
>
> Él ha dirigido a muchos cristianos a comprar terrenos, y los ha hecho ricos, pero Él no solamente cuenta con su corazón, sino también con sus bolsillos. Cuando Dios les dice: «Necesito medio millón de dólares para que envíes a un ministerio que viajará a África». Estos cristianos responden: «Gracias, Señor, porque durante los años que estoy trabajando siempre me has beneficiado. Este negocio es tuyo. Ya mismo enviaré ese dinero».

> *El dinero, para mí, solo tiene importancia cuando está puesto en la obra de Dios. Fuera de eso, es vanidad.*

Los hombres de las Escrituras fueron dirigidos e inspirados por el Espíritu Santo. Su éxito real consistía en la dirección de Dios en sus vidas. Si sometemos nuestra vida a su guía, nos rendimos a la dirección del Espíritu Santo y viviremos en un triunfo constante. Aun en medio de lo que llamamos «fracaso», veremos expansión y bendición.

Dios usó al Apóstol Pedro, un hombre dotado de un poder sobrenatural, para ser el primer pastor de la iglesia primitiva. El hombre, con su sombra, sanaba a los enfermos. Su secreto era la dirección y la guía del Espíritu Santo de Dios. Vivía bajo Su ordenanza. No se movía sin el Espíritu de Dios, y eso lo descubrimos en el Libro de los Hechos, en diferentes acontecimientos bíblicos, textos que nos demuestran que Pedro era dirigido por el Espíritu de Dios.

En **Hechos 10:19-20** dice: *«Y mientras Pedro pensaba en la visión, le dijo el Espíritu: He aquí, tres hombres te buscan. Levántate, pues, y desciende y no dudes de ir con ellos, porque yo los he enviado».*

Pedro recibió dirección: El tiempo de estar en esta casa terminó, quiero que vayas a la casa de Cornelio. Allí haré algo grande. Te necesito en ese lugar». El Espíritu Santo es quien coordina lo del cielo con la Tierra y lo de la Tierra con el cielo. Nada se mueve sin guía y coordinación del Espíritu de Dios. Él es quien mueve y encaja las piezas.

Leí un libro que se llama «Ángeles en misiones especiales», escrito hace muchos años, que trata acerca de la experiencia que tuvo un hombre en 1977, el año en el que nací. Años antes de ese día, ese hombre estaba hablando con Dios. Su casa se había convertido en un cuartel angelical. Ellos descendían y se reunían allí. Él los veía y les hablaba. Uno de los que iba constantemente era Gabriel, junto a otros más.

El autor comenta que el ángel Gabriel le decía: «El Espíritu Santo lo sabe todo. Al mismo tiempo lo ve todo, lo siente todo, lo conoce todo. Aun la pisada de una bestia, Él la oye; el respirar de un bebé, Él lo oye; el grito de un insecto, Él lo oye. Nada sucede sin que Él lo vea, lo oiga o lo sepa. Él es quien coordina las cosas». El ángel Gabriel también le dijo que ellos estaban habitando en su casa porque el Espíritu Santo previó un ataque diabólico contra él (el escritor), y que legiones de demonios se levantaban para destruirlo. A causa de ello, Él los envió allí para librarlo.

Luego continuó relatando lo que le dijo al ángel:

—Gabriel, si viniste a librarme de un ataque demoníaco, me preocupa que estés en la sala de mi casa y no afuera, peleando.

—Es que ya nos deshicimos de los demonios. Nosotros nos adelantamos a ellos, — respondió el ángel.

—Pero, ¿cómo?, —le preguntó.

—Mira por la ventana, —le dijo Gabriel.

Al mirar, vio ángeles gigantes caminando en el patio, hablando, moviendo las espadas, porque ya habían librado la batalla a su favor.

Me gozaba leyendo la experiencia de este hombre de Dios. Hay muchas otras historias relatadas allí. Este antiguo libro, quizás ya ni esté a la venta. De todos modos, si lo consigues, te recomiendo que lo leas, es una lectura fascinante.

Cuando quise escribir este libro, me arrodillé y oré diciendo: «Espíritu Santo, ¿sobre qué escribiré? ¿Qué tema voy a tratar?». En principio quería hablar de otra cosa, pero de pronto, cuando terminé de orar, vino rápidamente un pensamiento que provino del Espíritu Santo: «Habla de estas cosas». Y así lo hice.

A través de estas palabras no solo te estoy escribiendo a ti, sino también a los pastores frustrados, a los evangelistas confundidos, a los misioneros que Él llamó, a aquellas personas que despertará su corazón y se rendirán ante Él y le dirán: «Abro mi corazón para que tú me dirijas, me direcciones y me conduzcas de acuerdo con el propósito y el plan que tienes para mi vida». Mi intención es que cuando leas estas páginas se acabe tu caminar de confusión, tu ceguera espiritual, que Dios abra tus ojos.

> *Reprendo toda ceguera en tus ojos y sordera*
> *en tus oídos. El mundo angélico-espiritual*
> *se hará real en ti. El mundo espiritual profético*
> *se te revelará.*

Según las Escrituras, Pedro estaba en la azotea de un tal Simón, el curtidor durmiendo, y el Espíritu lo despertó con una visión, y le dijo: «Hay tres hombres que te buscan, no dudes en ir con ellos». Él lo dirigió y le dijo: «Pedro, tu temporada aquí terminó. Ahora te necesito en la casa de Cornelio».

Cuando Pedro llegó a la casa de Cornelio, fue muy fácil que el poder de Dios fuera desatado. Mientras que Pedro hablaba, descendió el Espíritu Santo. Esto ocurrió porque Pedro no estaba en su plan, sino en el plan del Espíritu. No estaba ahí porque quería, sino porque el Espíritu le instruyó que fuera. El Espíritu Santo respaldaría lo que planeó.

Una vez que hizo eso, Pedro fue ante el Concilio en Jerusalén y les explicó cómo llegó a los gentiles, porque no les era permitido unirse, pero el Espíritu Santo rompió la barrera. Entonces, los ancianos quisieron cuestionar a Pedro preguntándole: «¿Por qué has entrado en casa de hombres incircuncisos, y has comido con ellos?». Pedro les respondió: Yo no fui, me enviaron.

En el capítulo siguiente, *Hechos 11:12*, Pedro estaba relatando su experiencia y les dijo: *«El Espíritu me dijo que fuese con ellos sin dudar»*. Pedro les aclaró que fue porque el Espíritu lo mandó.

> *Esa debe ser nuestra «regla de oro»:*
> *los siervos y las siervas de Dios*
> *deben ser dirigidos por Él.*

2. El segundo ejemplo: Pablo.

¿Cuál era el secreto de Pablo? Ser dirigido por el Espíritu.

«Y cuando llegaron a Misia, intentaron ira Bitinia, pero el Espíritu no se los permitió» **(Hechos 16:7)**. Como el Espíritu se los prohibió, ellos regresaron.

Si estoy en la ciudad de Kansas, tomo el automóvil, lo lleno de gasolina y nos vamos a Wichita a profetizar. Cuando estamos por el área de Tópica, el Espíritu nos dice:

—¿Quién los envió a Wichita?

—Es que nosotros creíamos que íbamos a predicar a Wichita.

—No, no es a Wichita sino a Arkansas.

Entonces debemos dar un giro y redireccionarnos a Arkansas, porque en Wichita no estaría el Espíritu con ellos.

Probablemente, muchos de los que me conocen recuerdan cuando anuncié que iría a España. Empaqué las maletas. Compré el ticket. Fui al aeropuerto de Kansas. Me subí al avión. Llegué a Chicago, donde tomaría el siguiente vuelo. La aerolínea con la que viajaría se llama Iberia.

Luego de esperar un rato, estaba por subir al avión, y el Espíritu me dijo:

—¿Quién te mandó ir a España?

Inmediatamente, retrocedí y le pregunté:

—¿Qué?

—No es el tiempo de España, —me respondió.

—¿Y qué debo hacer?, —le pregunté.

—Regresa.

Había comprado dos tickets, uno para mí y otro para un pastor que me acompañaba. Sin más, regresamos a casa. Mi esposa y mis hijos se pusieron contentos al verme:

—¿Qué pasó?, —me preguntaron todos.

—El Espíritu Santo me hizo regresar, —les respondí.

¿Usted se imagina lo que significa que yo pueda decir que el Espíritu Santo me hizo regresar de un viaje? Gracias a Dios, entendí. En un primer momento, no quise contender ni siquiera preguntar, solo regresé. ¿Para qué preguntar por qué? Si Él dice que «no», es así, y punto.

Después de que ya estaba en casa, le pregunté: «Señor, ¿por qué no me lo dijo esta mañana, antes de salir de casa? Me hubiese evitado empacar, viajar a Chicago, comprar los tickets. Había gastado más de mil dólares en ellos. Entonces él me respondió: «Te estoy probando para ver qué es más importante para ti, si el viaje, la gente, el dinero o mi guía».

Finalmente, mis maletas llegaron dos semanas después. Los trajes estaban todos aplastados. Las maletas habían viajado a España y tuvieron que regresarlas, porque el Espíritu me dijo: «No es el tiempo».

Meses después, me dijo: «Ahora sí, este es el tiempo para España». Fue un viaje maravilloso, feliz y glorioso. Luego fui alertado por el Espíritu que tengo que hacer una gira por Europa. Sobrenatural y milagrosamente se abrieron varias puertas de una forma impresionante. Recibí invitaciones desde Italia, Francia, Países Bajos, España y también Inglaterra. El Espíritu Santo me dijo: «Tienes que ir a Europa porque vas a despertar corazones y a estremecer ministerios allí».

Cuando te aferras al Espíritu, cuando te apasionas por agradarle a Él, ya no te mueve la agenda ni la oferta de los hombres, sino que andas como un sensor: buscando Su voluntad, tratando de percibir por dónde se mueve la nube. Ya no te interesa caerle bien a la gente. Ya no te importa agradar a los hombres ni quedar bien con ellos. Lo que te interesa es dónde quiere que estés, allí Él te enviará. El que camina bajo este concepto, siempre vivirá feliz y en victoria.

Muchas veces, a Pablo se le prohibió ir a lugares donde él quería ir. Pero a Pablo solo le importaba la opinión de Dios acerca de sus asuntos.

La Biblia dice que luego, atravesando Frigia y la provincia de Galacia, le fue prohibido por el Espíritu hablar la Palabra en Asia. ¿Qué hizo Pablo? Pasó por allí en silencio, no predicó, porque el Espíritu se lo había prohibido. ¿Por qué? No lo sabemos, pero el Omnisapiente conocía que no era el momento de que Pablo predicara allí. Todo tiene un tiempo señalado por Dios. Tal vez, si Pablo hubiese hablado allí, lo hubiesen matado, y el propósito de Dios no se hubiera cumplido. Dios conoce todo. Es de sabios hacerle caso.

Sin embargo, el Espíritu obligó a Pablo a ir a Macedonia. Eso está escrito en **Hechos 19:21**: *«Pasadas estas cosas, Pablo se propuso en espíritu, ir a Jerusalén, después de recorrer Macedonia y Acaya...».*

La Nueva Traducción Viviente lo dice de esta manera: «Tiempo después, Pablo se vio obligado por el Espíritu a pasar por Macedonia y Acaya antes de ir a Jerusalén».

El Espíritu lo obligó. ¿Cómo? No lo dejó predicar en Asia, y le dijo: «Aquí es donde vas a predicar». El término «obligar» me lleva a preguntarme cómo puede obligarme el Espíritu si yo tengo libre albedrío. ¿Sabe a quién Dios obliga a hacer Su voluntad? Al que está rendido a hacerla, a aquel que por su libre albedrío escogió cumplir siempre la voluntad de Dios.

Hay una diferencia en que Dios me diga: «Vaya a Miami», y yo no quiera ir; a que Dios me obligue. Él no me va a obligar, simplemente me dirá: «Ve», y yo puedo negarme. Pero Pablo no se negó, nunca dijo: «No quiero ir a Macedonia». El Espíritu lo llevó de Asia a Macedonia. Pablo nunca puso negatividad ante la dirección del Espíritu Santo de Dios.

3. El tercer ejemplo es Felipe.

Cuando estaba predicando en Samaria, *«un ángel del Señor habló a Felipe, diciendo: Levántate y ve hacia el Sur, por el camino que desciende de Jerusalén a Gaza, el cual es un desierto»* **(Hechos 8:26)**.

Al llegar se encontró con el carruaje de un etíope eunuco. *«Y el Espíritu dijo a Felipe: Acércate y júntate a ese carro»* **(Hechos 8:29)**.

El Espíritu dirigió a Felipe al carruaje. Lo que más me llamó la atención al leer esto fue que el Espíritu no le dijo a Felipe que hablara, solo le dijo: Acércate y escucha lo que dice el hombre.

Cuando Dios te dirija a acercarte a un lugar, no te preocupes por lo que le vas a decir. Ya Él tiene diseñado el bosquejo que vas a soltar en Su nombre.

> *Prepárate, porque el Espíritu te va a acercar a lugares que van a impactar tu vida y la vida de otros.*

Quizás has estado lejos de los propósitos de Dios, pero Él te acercará a través de este libro. Tal vez has estado distraído por un sinnúmero de cosas de este mundo y te has apartado del Plan de Dios, pero a través de esta lectura, el Espíritu te acercará al lugar donde podrás abrir la boca y alguien te escuchará, te acercará al lugar donde podrás hablar en Su nombre y tendrás resultado.

No estarás lejos de los propósitos de Dios. Los días de distanciamiento se acabaron para ti. Dios te acercará a Su Presencia. ¡Prepárate! Cuando Dios te acerca es porque va a cambiar tu destino, es porque te dará una nueva dirección.

El espíritu le dijo a Felipe: Acércate a ese carruaje porque tu ministerio va a trascender. Cuando Felipe terminó de bautizar al eunuco, fue arrebatado por el Espíritu.

Lo sobrenatural se activará a tu favor cuando te acerques a la oración, cuando te acerques a la santidad, cuando te acerques a la dirección. Esa vida espiritual vivida de lejos, se acabó. Es tiempo de acercarte a Dios.

El Espíritu Santo es quien llama

Cuando Moisés dijo: Me acercaré al fuego de la zarza ardiendo. Fue la mejor decisión que pudo haber tomado, porque a través del fuego, Dios le habló. Muchos critican a aquellos que se acercan a esos lugares donde está sucediendo cosas que son de Dios.

He estado en campañas a las que ha venido gente de diferentes ciudades de los Estados Unidos, y aun de otros países, porque ellos entendían que, si se acercaban, algo iba a suceder. Todos los que vinieron de otros países fueron sanos. Dios siempre va a honrar la fe que se mueve.

> *Sacúdete el polvo, mueve los pies, porque te vas a acercar al plan, al propósito, a la voluntad de Dios para tu vida.*

¿Qué pasa cuando la gente se enfría espiritualmente? Se alejan de la oración. Se alejan de la comunión con los hermanos. Se alejan de la iglesia. Aquel que de pronto deja de ir a la iglesia, le está pasando algo. No es normal que alguien no quiera estar donde se alabe a Dios. Si predicáramos todos los domingos acerca de política o de temas de moda, sería justificable, pero no debiera suceder cuando estamos hablando de Jesucristo.

Si dices: «Es que no quiero ir a la iglesia». Es que te alejaste de la Presencia de Dios y te estás muriendo espiritualmente. El Espíritu Santo es el que aparta y escoge a los hombres y mujeres para Su ministerio.

Hay diversos ministerios, la Biblia dice: «*Había entonces en la iglesia que estaba en Antioquía, profetas y maestros: Bernabé, Simón el que se llamaba Níger, Lucio de Cirene, Manaén el que se había creado junto a Herodes el Tetrarca, y Saulo. Ministrando estos al Señor, y ayunando, dijo el Espíritu Santo: Apartadme a Bernabé y a Saulo para la obra a que los he llamado.*

*Entonces, habiendo orado y ayunado, les impusieron las manos y los despidieron» **(Hechos 13:1-3)**.*

Ellos estaban orando y ayunando. Estaban en un ambiente espiritual, y el Espíritu se manifestó. Se levantó un profeta de los que estaban ahí y dijo: «Así dice el Espíritu Santo: Saulo y Bernabé vengan aquí al frente, porque a ustedes los llamó el Señor y los apartó. Tomaron aceite, oraron, los ungieron y los enviaron». No fue el profeta quien los llamó, sino el Espíritu a través de un profeta. Quien nos llama no es el hombre, sino el Espíritu Santo.

Puedes estudiar en todos los Seminarios que desees, tener todos los diplomas que quieras, y eso está bien, pero si el Espíritu Santo no te ha llamado a predicar, no lograrás hacerlo. Dios es quien escoge. Él es quien llama, quien aparta y quien unge. No son los hombres. A quien le debes pedir el ministerio, no es al pastor, sino a Dios y al Espíritu Santo. Él sabe dónde te va a utilizar.

La buena noticia es que todos fuimos llamados, si así no hubiera sido, estaríamos muertos. La única razón por la cual existes y continúas vivo, es porque Dios tiene un plan para ti en la tierra. No estás aquí para comer, dormir y trabajar, nada más. Estás aquí porque Dios te va a utilizar para un propósito, para un plan.

Cuando el Espíritu Santo habló en Hechos 13, ellos estaban en medio de un ambiente espiritual, estaban orando, ayunando y ministrando al Señor. Estaban en adoración, en exaltación. En esa atmósfera se manifestó el Espíritu y habló. No estaban en la playa ni en el río. Tampoco estaban mirando fútbol. Sé que todo tiene su momento. Pero ellos estaban en un ambiente espiritual cuando el Espíritu les reveló Su voluntad.

¿Qué puede recibir un hombre espiritual de un ambiente mundano? Cuando pretendes complacer a la gente que vive en un ambiente mundano, estás apagando tu fe y tu espíritu. Por eso siempre debes procurar acercarte adonde haya un ambiente apropiado para tu fe.

Nunca obligo a nadie a servir al Señor. Yo simplemente expongo el mensaje, la decisión de cambiar la tienes que tomar tú. Ya Dios la tomó, por eso estás leyendo este libro. Ahora, quien tiene que tomar la decisión y decir: «Dios, voy por lo mío», eres tú. Decide conocer al Espíritu Santo para que guíe tu vida.

¿Quién te está llamando?

Algunas personas son llamadas al ministerio por la emoción, por los beneficios, por los aplausos que ve que otros reciben y quieren ser como ellos. Tú no eres llamado porque viste a otro triunfar. Eres llamado por el Espíritu para que te apartes para Él.

Hay personas con un «autollamado». Ellos mismos se hablaron, se llamaron, se profetizaron, hicieron sus propias credenciales. Ellos mismos se nombraron evangelistas, y se enviaron. El Espíritu nunca habló con ellos.

A esos predicadores «autollamados», los identificas cuando predican. Tú sientes la sequedad, la mortandad. Sientes que los estás empujando y nunca terminan de llegar. Están tratando de prender y nunca lo logran. Pero, cuando el Espíritu te llama, eres como la gasolina, cuando ves fuego, te enciendes. No te «*autollames*». Espera que el Espíritu Santo te llame para el ministerio que Él quiere para tu vida.

He conocido personas que han dejado su trabajo por, supuestamente, atender un llamado de Dios, y es evidente la improductividad en su vida. Esto confirma que no fue el Espíritu Santo quien los llamó. Ahora son más pobres que cuando trabajaban. La familia no tiene para comer.

> *Cuando Dios llama, Él respalda. Cuando Dios llama, se ve el cambio. Cuando Dios llama, aparta y envía. Esa es la diferencia.*

En resumen, en este capítulo te hablé acerca de que el Espíritu Santo es quien nos dirige, nos pastorea, nos guía a hacer la voluntad de Dios, porque Él conoce el mundo espiritual y sabe todo lo que quiere de nosotros.

Cuando el Espíritu Santo nos guía no perdemos tiempo, siempre contamos con sus recursos y saldremos victoriosos, porque vamos sobre pasos seguros, pero, sobre todo, su guía nos confirma como hijos de Dios.

Te expliqué que nuestro propósito es colaborar con Dios y no pedir Su colaboración. Lo sobrenatural se activará a nuestro favor cuando nos acercamos a la oración, cuando nos acercamos a la santidad, cuando nos acercamos a la dirección del Espíritu Santo. También te describí que el Espíritu Santo es quien aparta y escoge para el ministerio. Él es quien hace el

JUAN CARLOS HARRIGAN

llamado, y cuando lo hace, se encarga de ayudarte, de respaldarte y producir cambios positivos en tu vida.

Arrodíllate ahora mismo y háblale. Dile: «Espíritu Santo, quiero conocerte mejor, ser guiado por ti, caminar en tu dirección». Estoy seguro de que Él hablará contigo. Recuerda que Él te ama. La Biblia dice: «El Espíritu que él ha hecho morar en nosotros nos anhela celosamente» *(Santiago 4:5)*.

Él te anhela.

Capítulo IV

El Espíritu Santo es mi Ayudador

«Si me amáis, guardad mis mandamientos.
Y yo rogaré al Padre, y os dará otro Consolador,
para que esté con vosotros para siempre: el Espíritu
de verdad, al cual el mundo no puede recibir,
porque no leve, ni le conoce; pero vosotros le conocéis,
porque mora con vosotros, y estará en vosotros»
(Juan 14:15-17).

Durante una campaña en mi país, República Dominicana, tuve un día de esos muy cargados de actividades, tuve que viajar de un extremo al otro de la ciudad. Debía hablar por la radio, llevar equipos de sonido, y cuando al regresar debía predicar, pero la hora había avanzado y se me había hecho muy tarde. Había orado por la mañana, antes de partir, pero no de la manera que acostumbraba a hacerlo: quedarme tranquilo en oración y esperando. Ese día tuve que moverme mucho y estuve de allá para acá. De camino enfrentamos un gran tránsito bajo un aguacero con un carro que solo andaba por fe. Finalmente, llegamos a las nueve de la noche, hacía media hora que me estaban esperando. Me dieron el tiempo para ponerme un traje, una corbata y salir frente al auditorio.

95

Cuando estaba por subir a la plataforma sentí que el cuerpo comenzó a pasarme la cuenta: me dolía todo, por aquí y por allá. Estaba superagotado, cansado, no tenía ánimo de predicar cuarenta minutos. Entonces me di cuenta de que no tenía nada que dar, y no sabía qué iba a hacer. Soy de los predicadores que detesto fingir una unción si no la siento. Pero, todavía me quedaba la fe. Así que, me paré ante el púlpito por fe. Aquel estadio en la ciudad de Mao, en el Cibao, estaba más lleno que nunca. Era el último día de la campaña. Había asistido más gente que nunca. Eran miles: entre ellos, paralíticos, enfermos por todos lados. Pero el predicador no sabía qué decirle a la gente. Estaba vacío porque había pasado el día manejando, y ahora estaba allí frente a la multitud. Solo se me ocurrió una perfecta y buena idea. Tomé el micrófono y grité: «Espíritu Santoooooo, ¡Ayúdame a ministrar!».

Entonces escuché una voz que dijo: «Solo di esto». Cuando repetí las palabras que me dijo, cayó la gloria tan fuerte, que los paralíticos caminaban, los endemoniados eran libres y cientos de personas pasaron al frente aceptando a Jesucristo como su Salvador.

Ese día me di cuenta de que no tengo por qué predicar solo, ya que tengo un colaborador, un consolador, un ayudador. Pídele ayuda al Espíritu Santo y Él te la dará. Cuando le pedí socorro, la ayuda fue desatada.

El Espíritu Santo estuvo allí. Esa noche ministré con mucha energía. Inmediatamente, sentí libertad, y las palabras comenzaron a fluir, el poder a descender y los milagros a suceder. ¡Esa noche fue impresionante! Los demonios gritaban: «¡Que el predicador no me mire!», a través de una joven endemoniada. Cuando el diablo no puede contigo, se quiere asociar a ti para tumbarte. Decía: «¡Que no me toque porque tiene un fuego muy grande!», para que tú lo creas y te sientas más grande e importante, y ahí caíste en su trampa.

El poder de su presencia

En este capítulo descubriremos al Espíritu Santo como nuestro Consolador o Ayudador. Debes saber que no puedes separar al Espíritu Santo de la presencia de Dios. Simplemente, porque **Él es la presencia de Dios**. Donde Él está, está Dios. Donde está Dios, está Él. El Espíritu Santo es la presencia manifiesta de Dios. No puede haber presencia sin el Espíritu Santo. Es imposible.

En *Salmos 139:7* dice: *«¿A dónde me iré de tu Espíritu? ¿Y a dónde huiré de tu presencia?»*.

En el Antiguo Testamento, siempre que mencionan a la presencia de Dios, se refieren al Espíritu de Dios, el Espíritu Santo, el Espíritu de verdad.

En el texto de *Zacarías 4:6* dice lo siguiente: *«Entonces respondió y me habló diciendo: Esta es palabra de Jehová a Zorobabel, que dice: No con ejército, ni con fuerza, sino con mi Espíritu, ha dicho Jehová de los ejércitos»*. Sin espada ni ejército, solo con el Espíritu.

También en *Salmos 51:11* dice: *«No me eches de delante de ti, y no quites de mí tu Santo Espíritu»*. Está más que demostrado que la presencia de Dios es el Espíritu Santo, y donde está el Espíritu Santo, está la presencia de Dios.

Ahora, algunas religiones o instituciones generalizan diciendo: «¡Todos tenemos al Espíritu Santo! O ¡Todos tenemos la presencia de Dios!». Y aunque le creas, en su pobre resultado en el servicio, no percibes la presencia de Dios.

Algunos cuestionan: «Dices que tenemos la presencia de Dios, pero yo no la percibo». Porque una cosa es tener la presencia de Dios y otra cosa es tener el poder de la presencia de Dios, o sea, «la manifestación de Su presencia». Algunos pueden tener la presencia, pero no la manifestación.

Cuando tienes la manifestación de Su presencia comienzan a suceder cosas. Lo imposible se hace posible. Sucesos inusuales comienzan a manifestarse. Dios es omnipresente y está en todo lugar, pero no en todos lugares se está manifestando.

Espíritu Santo como Consolador

En los textos de **Juan 14:15-17**, Jesucristo dice: *«Si me amáis, guardad mis mandamientos. Y yo rogaré al Padre, y os dará otro Consolador, para que esté con vosotros para siempre: el Espíritu de verdad, al cual el mundo no puede recibir porque no conoce (...)».*

Debes saber que *el Espíritu Santo solo es dado a personas que obedecen.* El Apóstol Pedro dijo: *«Y nosotros somos testigos suyos de estas cosas, y también el Espíritu Santo, el cual ha dado Dios a los que le obedecen» (Hechos 5:32)*. Nadie calificará para ser morada del Espíritu Santo o conocerlo, si vive una vida en desobediencia a Dios y no cumple con lo que le ha trazado. Jesucristo dijo: «Si me amas, guarda mis mandamientos». Al obedecer y guardar sus mandamientos, tenemos el privilegio de recibir el don o el regalo del Espíritu Santo. Pero este no llega sobre los desobedientes.

Es interesante observar que, en el Libro de Juan, Jesucristo presenta tres veces al Espíritu Santo como *Consolador* o *Ayudador* *(Juan 14, 15 y 16)*. Allí lo puntualiza mucho como Consolador y juntos descubriremos el porqué.

En *Juan 14:26* dice: «*Mas el Consolador, el Espíritu Santo, a quien el Padre enviará en mi nombre, él os enseñará todas las cosas, y os recordará todo lo que yo os he dicho*».

En *Juan 15:26* dice: «*Pero cuando venga el Consolador a quien yo os enviaré del Padre, el Espíritu de verdad, el cual procede del Padre, él dará testimonio acerca de mí*».

Luego en *Juan 16:7*, lo repite: «*Pero yo os digo a la verdad: Os conviene que yo me vaya; porque si no me fuera, el consolador no vendría a vosotros; mas si me fuere, os lo enviaré*».

Una de las funciones principales de la persona del Espíritu Santo es consolarnos, ser nuestro consolador. La palabra *consolador* en griego es *Paracleto*. Este término en español tiene tres significados: *Intercesor, Ayudador* y *Consolador*.

Como *intercesor,* Jesús presenta al Espíritu Santo diciendo: «*(...) pero el Espíritu mismo intercede por nosotros con gemidos indecibles*» *(Romanos 8:26b)*. El Espíritu Santo está todo el tiempo presentándote delante de Dios, intercediendo a tu favor. Por eso Satanás no puede contigo, porque hay alguien más grande que él que intercede por ti. Como *intercesor* es nuestro abogado, quien defiende nuestras causas y nos ayuda a salir de los problemas más difíciles. Un abogado es aquel que nos defiende frente a toda acusación. ¡Es maravilloso tener un *intercesor* como abogado en el trono, ganando nuestro pleito!

El siguiente término es *ayudador*. Cuando alguien me ayuda es porque está haciendo algo que en mis propias fuerzas yo solo no puedo hacer. Si quiero trasladar un mueble grande de una sala a otra, tengo que reconocer que solo no puedo, necesito llamar a alguien que me ayude. Esa persona me ayudará a hacer lo que nunca lograría hacer por mis propias fuerzas. Esa persona es el Espíritu Santo.

Por ejemplo, si por más que lo intento en mis propias fuerzas, no puedo lograr que mi matrimonio funcione y no puedo hacer que nada cambie, tengo que pedirle ayuda a esa persona, el Espíritu Santo.

Si quiero orar como me gustaría, pero no puedo hacerlo, debo pedirle ayuda al Espíritu Santo, ya que Él vino a ayudarme a hacer lo que el Padre quiere que yo haga. Me da las herramientas que necesito para hacer la voluntad del Padre. Pero solo se presentará como *ayudador* cuando lo reconocemos como tal y recurrimos a Él por su ayuda. Si entiendes esto, te garantizo que las cosas cambiarán.

Jesucristo dijo: *«Y yo rogaré al Padre, y os dará otro Consolador, para que esté con vosotros para siempre»* **(Juan 14:16)**.

Esta Palabra iluminó mi espíritu. Jesús me prometió Su presencia, no temporalmente, sino *para siempre*. Esto significa que todos los años que vivamos en la tierra, Él estará con nosotros.

CONOCIENDO AL **ESPÍRITU SANTO**

¿Te imaginas andar con el Espíritu Santo siempre cerca de ti? Cuando tienes que viajar, Él está allí. Cuando estás en la cocina, Él está allí. Donde quieras que vayas, Él está allí.

Mientras dormimos, Él está allí. Mientras nos bañamos, Él está allí. Su Presencia está constantemente con nosotros. No hay forma de desconectarnos de Él, a menos que tomemos un camino fuera de Su voluntad. De lo contrario, Él está siempre.

Él puede manifestarse siempre. Puede hacer milagros siempre. Puede darnos provisión siempre. Puede manifestarse constantemente, cada minuto.

David dijo: *«¿A dónde me iré de tu Espíritu? ¿Y a dónde huiré de tu presencia?» (Salmos 139:7)*. Él estará siempre con nosotros.

Pero también debemos tener cuidado, porque siempre estará escuchando los malos o buenos pensamientos, las palabras desalineadas, las mentiras, todo lo que digamos, lo que hagamos o pensemos.

Si tomáramos consciencia de lo que significa que Él estará siempre, seríamos más santos, más fieles y ungidos. Pero no le damos la suficiente importancia a comprender que: Él estará para *siempre* con nosotros. Vivir teniendo este conocimiento nos ayudará a no entrar en depresión a causa de la soledad, porque sabremos que el Espíritu está siempre.

¡Él está aquí, donde yo estoy escribiendo, ahora! ¡Él está allí, donde tú estás leyendo en este momento! ¡El Espíritu Santo está conmigo y contigo ahora, al mismo tiempo!

Sensibles al espíritu

Pero, si el Espíritu Santo está siempre, ¿por qué yo no lo percibo ni lo veo manifestándose permanentemente? ¿Por qué no lo siento siempre? ¿Por qué lo percibo de vez en cuando? La respuesta es porque de vez en cuando lo reconozco.

El mayor problema de mucha gente no es Satanás, sino su propia *insensibilidad*. Se enfrían tanto que se hacen insensibles a la presencia de Dios. Ese es un gran peligro, porque la insensibilidad te llevará a dejar de percibir tu realidad espiritual. Y podemos verlo en este ejemplo:

«Aconteció un día, que él estaba enseñando, y estaban sentados los fariseos y doctores de la ley, los cuales habían venido de todas las aldeas de Galilea, de Judea y Jerusalén; y el poder del Señor estaba con él para sanar» **(Lucas 5:17)**.

El poder estaba sobre Jesús. La atmósfera estaba cargada de la Presencia de Dios, pero los fariseos y doctores de la ley, no la advirtieron. Su insensibilidad les impidió disfrutar de la presencia de Dios que habitaba en Jesús. Cuando pierdes la sensibilidad, pierdes también los buenos momentos de la presencia de Dios.

Los cuatro hombres que cargaron al paralítico tenían algo que los fariseos no tenían: sensibilidad. Esto les permitió conectarse con la atmósfera de poder que ya había en el lugar. Cuando las personas son insensibles espiritualmente, no pueden conectarse con la presencia de Dios.

Debes saber que la insensibilidad al Espíritu Santo no te permitirá ser útil en el reino de Dios. No podrás ser usado por Dios porque tus oídos estarán bloqueados para oírlo. No hay alguien más inútil para Dios que aquel que pierde la sensibilidad espiritual, porque no podrá estar a la vanguardia de lo sobrenatural.

La Biblia relata lo siguiente acerca de Simeón: *«Y le había sido revelado por el Espíritu Santo, que no vería la muerte antes que viese al Ungido del Señor. Y movido por el Espíritu, vino al templo. Y cuando los padres del Niño Jesús lo trajeron al templo, para hacer por Él conforme al rito de la ley» (Lucas 2:26-27)*.

Simeón no estaba orando en el momento en que el Espíritu lo movió. Esto revela que el nivel espiritual que Simeón había alcanzado le permitía estar sincronizado con el Espíritu Santo a cualquier hora, en cualquier lugar. Simeón fue sensible a la dirección del Espíritu Santo, y eso lo llevó a ver con sus propios ojos al Salvador.

> *La sensibilidad hacia Dios te permitirá estar actualizado con lo que Dios está haciendo ahora.*

¿Cómo recuperar la sensibilidad?

1. Volviendo a pasar tiempo con Dios en oración.

Perdemos la sensibilidad espiritual cuando dejamos de tener contacto con Dios día a día. Cuando dejamos de orar. Pablo dijo: «Orando en todo tiempo con toda oración y súplica en el Espíritu». La oración diaria es la puerta de acceso al mundo de Dios.

Por ejemplo, en mi casa tengo un subsuelo. Ese es un lugar donde paso mucho tiempo orando. Cuando apago la luz, al ser un subsuelo, es muy oscuro, no entra luz del exterior. En los primeros 20 segundos, no veo nada. Luego, poco a poco, comienzo a ver cosas que al principio no veía. Mis ojos comienzan a sensibilizarse a la oscuridad y minutos después comienzo a ver elementos que inicialmente no veía. Mis ojos se sensibilizaron.

2. *Reconociendo que necesitas tener un espíritu sensible.*

3. *Explorando tu vida para descubrir qué te está causando la insensibilidad.*

4. *Volviendo a hacer las cosas que te ayudaban a estar sensible a Dios como, por ejemplo, orar, ayunar y leer la Biblia.*

El Espíritu Santo te ayudará a recuperar la sensibilidad.

Reconocer Su Presencia

Dios nos diseñó para tener Su presencia siempre. No nos creó para morir secos, sino que al igual que al profeta Eliseo, morir profetizando.

Los seres humanos creemos que nos la sabemos todas. Pensamos que podemos escaparnos de todo, pero nos olvidamos de que el Dios a quien servimos es Omnipresente. Está en todo lugar en el mismo momento: Oyéndolo todo, escribiéndolo todo, grabándolo todo y haciendo todo al mismo tiempo.

A nuestra mente finita le cuesta entender eso; pero Dios es infinito. Nosotros somos finitos, pero Él es infinito. Entonces, ¿por qué algunos tienen que esperar ir el domingo a la iglesia para hablar en lenguas o sentir la presencia de Dios? La respuesta es porque solo lo reconocen el domingo, cuando van a la iglesia, de lunes a sábado, ignoran Su presencia.

Ese tipo de cristiano no tiene esperanza de crecer, si no hay un cambio. Todos podemos trabajar en cualquier área de la iglesia, pero en ninguna circunstancia debemos descuidar nuestra relación con Dios. Cuando esto sucede, todo lo que hagamos para Él comienza a decaer y a quedar mal.

El Espíritu Santo está siempre, y debemos reconocer Su Presencia. No me refiero a sentirlo en la carne, y sentir que se me pone «la piel de gallina». Tampoco es pasar el día entero hablando en lenguas. Es percibirlo en el espíritu siempre. Cuando tomo una decisión, debo escuchar Su dirección y Su guía. Fuimos hechos para percibirlo, para sentirlo a cada momento.

El Espíritu Santo puede ayudarnos a cambiar cosas que nosotros solos no podemos. Por ti mismo no podrás cambiar nada. Por tu propia fuerza no lo lograrás. Necesitas rendirte y reconocer que Él te puede ayudar.

> *Pídele ayuda y Él te ayudará.*
> *¡El Espíritu Santo es tu ayudador!*

En el Antiguo Testamento como ayudador

Cuando leemos la historia de Sansón, podemos comprender la fuerza que tenía, parecía un hombre invencible. La Biblia relata cómo Sansón vencía a sus enemigos. Sin embargo, cuando escudriñamos profundamente la lectura de sus historias, nos damos cuenta de que el Espíritu de Dios lo hacía invencible.

Si despegabas a Sansón del Espíritu de Dios, era un hombre común y corriente. El Espíritu de Dios le daba la fuerza y la capacidad para vencer todo lo que enfrentaba. La historia nos cuenta de un león joven que se abalanzó sobre Sansón para matarlo y comérselo, pero luego agrega que el Espíritu vino sobre Sansón, y este lo agarró por la boca y lo quebró como a un cabrito. Sansón lo mató con sus propias manos. Todos dirían: ¡Qué fuerte era Sansón! Pero no es así. El Espíritu de Dios vino sobre él y lo ayudó a matar el león.

Cuando leemos la Palabra, el texto dice que «Sansón mató a un león». Pero quien lo ayudó fue el Espíritu. Ese es el modelo de trabajo del cielo en la tierra. Yo hago la obra, pero quien me ayuda es el Espíritu Santo.

Hablamos del Espíritu Santo porque si no lo conocemos, no podremos conocer al Padre ni al Hijo. Y al tener una relación con Él, podremos recibir su ayudar para descubrir los secretos del Padre y el potencial que nos ha concedido.

Al igual que Sansón, tú y yo necesitamos la fuerza de Dios para poder quebrar las cabezas de esos leones, que por nosotros mismos no lo lograríamos. Algunos pastores y ministros del Evangelio fuimos puestos al frente como predicadores, pero quien nos imparte el mensaje es el Espíritu.

Personalmente, todo lo que predico y enseño no proviene de mí, yo solo soy el cuerpo, una imagen, el que está en mí, el Espíritu Santo es el que me inspira, me revela, me imparte el mensaje que llega a tu espíritu y transforma tu corazón.

Así que, si eres un líder de la Iglesia, olvídate de tus fuerzas y tus estrategias, y pídele al Espíritu Santo que te indique cómo hacer para que las cosas funcionen. Él es quien capacita. Él es quien envía. Él es quien prepara. Él es quien unge y quien nos ayuda.

La Biblia también relata cuando los filisteos presionaron a los hombres de Judá pidiéndoles que entregaran a Sansón o los matarían. Entonces los varones de Judá lo buscaron y lo ataron para entregárselo a los filisteos. Los varones de Judá lo habían amarrado con cuerdas nuevas, que ningún hombre con fuerzas normales podía haber roto. Pero en algún tramo del trayecto, Sansón caminó atado. ¡Si quiso zafarse, no pudo! Pero un tiempo después, tal vez cuarenta o cincuenta minutos, de haber estado atado. Cuando los filisteos gritaron, el Espíritu de Jehová vino sobre Sansón, y Sansón rompió las cuerdas como si fueran hilos de coser.

«Y así que vino hasta Lehi, los filisteos salieron gritando a su encuentro; pero el Espíritu de Jehová vino sobre él» **(Jueces 15:14)**.

Cuando el Espíritu Santo vino sobre él, de repente, lo que humanamente Sansón no había podido hacer, lo realizó a través de la fuerza que el Espíritu le impartió.

> *Tus enemigos deben tener cuidado con lo que gritan contra ti, porque quizás ese grito sea la manifestación y la activación del poder de Dios sobre tu vida.*

> *Cosas imposibles de ser realizadas por ti, cuando Dios viene sobre tu vida, son posibles.*

Quizás tienes un proyecto que parece económicamente imposible de realizar, pero por el Espíritu llegan los recursos para activarlo. Tal vez tengas cosas imposibles de lograr, pero con el Espíritu Santo son posibles.

Hoy, muchas congregaciones están perdiendo la ayuda y la intervención divina porque están cambiando al Ayudador, al Consolador, por los recursos teóricos, muertos y secos de los hombres. Necesitamos doblar las rodillas, pedirle a Dios, inclinarnos ante Él y decirle: «¡Señor, sin ti no puedo, pero contigo todo es posible!».

Sansón rompió las cuerdas cuando el Espíritu Santo vino sobre él. Hay ataduras que tú no puedes romper por ti mismo, pero la Palabra dice: *«Porque si vivís conforme a la carne, moriréis; mas si por el Espíritu hacéis morir las obras de la carne, viviréis» (Romanos 8:13)*. Hay ataduras y hábitos que solo Él te puede dar la fuerza para liberarte de ellos. Ese día, Sansón tomó la quijada de un burro y eliminó a mil hombres. Todo el mundo dice que Sansón mató mil hombres. Y aunque realmente Sansón lo hizo; la fuerza, la habilidad, la capacidad, se la dio el Espíritu de Dios.

Eso mismo sucede hoy. No podemos ser efectivos sin el Espíritu de Dios. Somos incapaces de lograrlo por nosotros mismos. No podemos cambiar solos. Muchas personas no lo entienden. Somos débiles y no podemos dejar ciertas cosas por nosotros mismos. Solo el Espíritu vence nuestra carne.

> *Por eso, te animo a que reconozcas a tu Consolador y le pidas ayuda.*

Pídele ayuda al Espíritu Santo

A las personas les encanta pedirles a los predicadores ayuda en oración, cuando el mejor y verdadero Ayudador, con todos los recursos en abundancia para hacerlo, es el Espíritu Santo.

Cuando el ángel Gabriel le habló a María, ella le dijo: *«¿Cómo será esto? pues no conozco varón»* **(Lucas 1:34)**. Y Gabriel le dijo: *«El Espíritu Santo vendrá sobre ti, y el poder del Altísimo te cubrirá con su sombra; por lo cual también el Santo Ser que nacerá, será llamado Hijo de Dios» **(Lucas 1:35)**. Lo que el ángel Gabriel dijo se cumpliría cuando el Espíritu de Dios viniera sobre ella.

No podemos tener jóvenes renovados sin el Espíritu de Dios. No podemos tener ministerios crecientes de adoración, sin el Espíritu de Dios. No podemos tener ujieres efectivos sin el Espíritu de Dios. No podemos ver milagros sin el Espíritu de Dios. Nuestras prédicas serían aburridas sin el Espíritu de Dios. No hay profecía sin el Espíritu de Dios. Realmente, nada sucede sin el Espíritu de Dios.

Escribo este libro para decirte, amigo lector, que es tiempo de ir a Él y pedirle ayuda. Todas aquellas cosas que tú no puedes hacer, que ya no puedes más; es tiempo de decir: «Espíritu de Dios, Jesucristo dijo que Tú eras mi consolador, mi ayudador. ¡Ayúdame! ¡Ayúdame, por favor!».

Si tú que estás leyendo, eres una mamá, deberías reconocer de lo que te estoy hablando y decir: «Ya sé qué voy a hacer con mi hija: Se la voy a entregar al Espíritu Santo, la voy a poner en oración y el Espíritu de Dios la transformará».

Muchas iglesias no avanzan como deberían porque no entienden que solas no pueden, que necesitan al ayudador. He visitado lugares donde no sabía qué iba a predicar. Había estudiado todos los bosquejos que podía, pero ninguno los retenía en mi memoria. Entonces pensé: «Aquí hay algo que debo resolver». En ese momento dije: «Espíritu Santo, Tú escribiste la Biblia. ¡Ayúdame a predicar hoy!».

Lo mismo me ocurrió, durante un tramo de escritura de este libro, las palabras no fluían, entonces me detuve y dije: «¡Ups! Estoy tratando de aprender de Él sin Él, y así no se puede. Porque solo serán palabras y teorías muertas». Entonces oré diciendo: «Espíritu Santo, ¿puedes enseñarme cómo tú ayudabas?».

Al instante comenzó a fluir la revelación y surgió el resto del libro.

El Espíritu Santo en el Nuevo Testamento

Hay tres personas del Nuevo Testamento que nombran al Espíritu Santo como ayudador: Jesús, Pablo y Felipe.

1. Jesús.

Pedro relata que el Espíritu Santo ayudaba a Jesús a liberar a las multitudes: *«Cómo Dios ungió con el Espíritu Santo y con poder a Jesús de Nazaret, y cómo este anduvo haciendo bienes y sanando a todos los oprimidos por el diablo, porque Dios estaba con él» (Hechos 10:38).*

Si tratara de escribir cómo el Espíritu ayudaba a Jesús, no me alcanzaría un libro completo. Durante treinta años Jesucristo estuvo caminando en Nazaret y nada sucedió. Trabajó como carpintero, hizo todo como cualquier ser humano, nunca había sucedió nada extraordinario, hasta que regresó del desierto. La Palabra no dice que el poder vino del ayuno ni del poder de la oración, sino del poder del Espíritu Santo.

Cuando abrió las Escrituras en las Leyes del Antiguo Testamento, dijo: *«Y se le dio el libro del profeta Isaías; y habiendo abierto el libro, halló el lugar donde estaba escrito: El Espíritu del Señor está sobre mí, por cuanto me ha ungido para dar buenas nuevas a los pobres; me ha enviado a sanar a los quebrantados de corazón; a pregonar libertad a los cautivos, y vista a los ciegos; a poner en libertad a los oprimidos» (Lucas 4:17-18).*

No puede haber un «para» si no hay primero un ungimiento del Espíritu Santo. Para liberar, para sanar a alguien en el nombre de Jesús, tiene que haber inicialmente un ungimiento del Espíritu Santo de Dios. Jesús no vino en el poder del ayuno ni en el de la oración. Esas son otras facetas. Él vino en el poder del Espíritu, que no solo estaba manifestándose *en* Él, sino también *sobre* Él. Me emociona escribir sobre esto, porque he visto grandes manifestaciones de Dios, y tengo la convicción de que este es el secreto.

Jesucristo libertaba a los endemoniados, a aquellos que padecían lo que muchos llaman problemas mentales o psicológicos. Estoy de acuerdo que en determinados casos es necesario recurrir a los psicólogos, especialmente si son cristianos, pero también sé que hay casos que no son problemas psicológicos, sino opresiones de los poderes diabólicos que solo se van con el poder del Espíritu Santo.

El Espíritu Santo ayudaba a Jesús a echar fuera los demonios, así lo dice la Palabra: *«Pero si yo por el Espíritu de Dios echo fuera los demonios, ciertamente ha llegado a vosotros el reino de Dios»* **(Mateo 12:28)**.

El endemoniado gadareno, mientras se retorcía, *«al ver a Jesús, lanzó un gran grito, y postrándose a sus pies exclamó a gran voz: ¿Qué tienes conmigo, Jesús, Hijo del Dios Altísimo?»* **(Lucas 8:28)**. Esto sucedía por el Espíritu de Dios en Cristo. Cuando los endemoniados gritaban: «¡El Santo!, ¡El Santo!», era por el Espíritu de Dios en Él.

Alguna vez hemos dicho que nos gustaría vivir en los días de Jesús, pero, ¿qué sucedería si te dijera que esos días no han terminado? Porque el mismo Espíritu que estaba con Él, está hoy, ahí contigo ahora. Por lo tanto, las mismas cosas que sucedían y sucedieron pueden volver a suceder en este siglo. Quien ayudaba a los apóstoles a ser efectivos y a crecer, era el Espíritu Santo, quien está contigo y conmigo hoy.

2. Pablo.

El texto de Hechos 16:6 nos revela que quien ayudó al Apóstol Pablo a saber dónde podía ir a predicar y a dónde no, era el Espíritu: «Y atravesando Frigia y la provincia de Galacia, les fue prohibido por el Espíritu Santo hablar la palabra en Asia». El Espíritu le daba dirección a Pablo de ir a Macedonia, el lugar donde Dios lo quería usar. Tenemos a alguien, el Espíritu Santo, que no solo nos ayuda a ser efectivos, sino que también nos guía a ir hacia el lugar correcto.

3. Felipe.

El Espíritu Santo fue quien ayudó a Felipe a predicarle al eunuco, quien luego compartió el Evangelio a toda África.

«Y el Espíritu dijo a Felipe: Acércate y júntate a ese carro» **(Hechos 8:29)**.

En este capítulo me dediqué a mostrarte al Espíritu Santo como nuestro Ayudador. Jesús nos lo presentó como nuestro consolador, intercesor, defensor y ayudador. No necesitas ayuda de los hombres porque el Espíritu Santo siempre estará contigo dispuesto a acompañarte. Sin embargo, solo lo hará cuando lo reconozcas como tu ayudador y le pidas que te guíe.

También nos referimos a que no puedes separar al Espíritu Santo de la presencia de Dios. Él es la presencia de Dios. Muchos textos bíblicos, tanto del Antiguo como del Nuevo Testamento, lo confirman.

Algunas personas pueden tener la presencia, pero no el poder ni la manifestación de su presencia. El Espíritu Santo puso este libro en tus manos, porque ha llegado el tiempo de que lo conozcas de manera especial y comiences a transitar una gran aventura sobrenatural.

> *El Espíritu Santo es quien nos ayuda a evangelizar con resultados reales.*

Capítulo V

Los dones del Espíritu Santo

«Así también vosotros; pues que anheláis dones espirituales, procurad abundar en ellos para edificación de la iglesia» **(1 Corintios 14:12)**.

Muchos son los dones del Espíritu Santo. Obviamente, un libro no es suficiente para referirnos a todos ellos, pero me enfocaré en los beneficios y las bendiciones que se desatarían si operaras en los dones del Espíritu Santo de Dios. La Iglesia crecería a un nivel indetenible, incontrolable. Miles de personas, semanas tras semanas, harían filas para buscar la presencia de Dios.

En la actualidad, cientos de iglesias han ignorado la operación de los dones del Espíritu Santo. Algunas porque no los conocen, otras, porque no los entienden o no les interesa. Pero la verdad es que el Espíritu Santo vino para guiarnos a toda verdad, para dirigirnos, para ayudarnos a construir con efectividad la obra de Dios en esta tierra. No hay forma de enfrentar a Satanás con armas carnales, sino espirituales.

En las cartas a los corintios, el Apóstol Pablo dijo: *«No quiero, hermanos, que ignoréis acerca de los dones espirituales» (1 Corintios 12:1)*. Pablo no quería que la iglesia ignorara acerca de los dones del Espíritu. Pablo no quería que estuvieran faltos de entendimiento de los dones espirituales, porque es un llamado de Dios. ¡Cuánta ignorancia hay sobre el tema, y qué poco valor se les da a los dones del Espíritu Santo en miles de iglesias hoy en día! Se habla de muchos proyectos, menos de desarrollar los dones. Cuando una iglesia carece de la manifestación de los dones, permanece estancada. El pastor carga con el peso mayor, porque no tiene ayuda. Pero si todos los miembros que están en la iglesia tuvieran desarrollado uno, dos o tres dones del Espíritu, estaríamos sacudiendo toda la región.

Diversidad de dones

«Ahora bien, hay diversidad de dones, pero el Espíritu es el mismo» (1 Corintios 12:4).

¿Qué significa esto? Si tú tienes el don de sanidad. Otra persona tiene el don de fe. Alguien más tiene el don de milagros. Todos esos dones salen de la misma fuente: el Espíritu Santo de Dios. Hay diversidad de operaciones, pero Dios hace todas las cosas. Hay diversidad de ministerios, pero el Señor es el mismo.

En Corintios dice que *el Espíritu es quien imparte los dones, Jesucristo es quien administra los ministerios y el Padre es quien los opera.*

Comienza a hablar el Apóstol Pablo: *«Pero a cada uno le es dada la manifestación del Espíritu para provecho.*

Porque a este es dada por el Espíritu palabra de sabiduría; a otro, palabra de ciencia según el mismo Espíritu» **(1 Corintios 12:7-8)**.

Allí comienza a mencionar los diferentes dones: Don de ciencia, don de fe, don de sanidad, don de hacer milagros, don de profecía, don de discernimiento de espíritus, don de lenguas o género de lenguas, don de interpretación de lenguas y don de palabra de sabiduría.

Facetas de los dones del Espíritu Santo

Estos nueve dones se dividen en facetas:

- *Dones de revelación.* Se refiere al don de ciencias, don de discernimiento, don de palabra de sabiduría. Los profetas operan siempre en estos tres dones.

- *Dones vocales o de inspiración:* Que es el don de profecía.

- *Don de lenguas:* Este don no tiene nada que ver con hablar en lenguas. En el Libro de Judas dice: «Haciendo crecer nuestra grandísima fe, orando en el Espíritu». Este es especial que se llama *Don de lenguas* o *Género de lenguas*, y se refiere a cuando hablas diferentes idiomas, tanto celestiales como terrenales. Aquí también entraría el don de interpretar las lenguas.

- *Dones de poder:* Es el don de fe, dones de sanidad y don de hacer milagros.

1. Dones de revelación.

- **Don de ciencia.**

Entre los dones de revelación se encuentra el don de ciencia. La palabra de *ciencia* es la palabra de *revelación*. Este don opera y revela un hecho existente o que ya pasó. Este don no tiene nada que ver con el futuro. Se mueve en el hoy y en el ayer.

Alguien que tiene el don de ciencia puede saber dónde se esconden las cosas. Este don no es para profetizar, sino para saber de un hecho existente, que está aconteciendo o que ya ha acontecido.

Ejemplos:

Eliseo

En el pasaje narrado en *2 Reyes 5*, cuando Naamán fue limpio de su lepra y quiso darle dinero a Eliseo, este no aceptó y Naamán se fue. Giezi fue detrás de Naamán y le habló mentiras: *«Mi señor me envía a decirte: He aquí vinieron a mí en esta hora del monte de Efraín dos jóvenes de los hijos de los profetas; te ruego que les des un talento de plata, y dos vestidos nuevos»* **(v.22)**.

Giezi escondió todo y fue ante Eliseo quien le preguntó: «¿De dónde vienes?», y Giezi le respondió: «Tu siervo no ha ido a ninguna parte». Y Eliseo respondió: *«¿No estaba también allí mi corazón, cuando el hombre volvió de su carro a recibirte? ¿Es tiempo de tomar plata, y de tomar vestidos, olivares, viñas, ovejas, bueyes, siervos y siervas? Por tanto, la lepra de Naamán se te pegará a ti y a tu descendencia para siempre. Y salió de delante de él leproso, blanco como la nieve»* **(vv.26-27)**. Este es el don de ciencia.

Pedro

Otro ejemplo narrado en el Libro de los Hechos, capítulo 10, relata cuando Pedro fue a la casa de Cornelio. Por el don de ciencia, el Espíritu le dijo a Pedro que había tres hombres que lo estaban buscando, que fuera con ellos.

El don de ciencia no necesita las redes sociales para obtener información de las personas, ya que no opera en lo natural, por lo tanto, no necesita de los sentidos para conocer la verdad. Los dones de Dios son sobrenaturales, espirituales. No operan con sospecha.

Experiencia personal:

Hace algunos años estaba predicando en Colombia y mientras estaba orando, el Señor me visitó en la noche, me impartió el don de ciencia y me dijo: «Una mujer que sufre de cáncer será sanada de esta manera… así, y así». Y agregó: «¡Ah! Ella no es cristiana, pero Dios le ha concedido la sanidad». Yo no conocía a esa mujer. Nunca había estado en ese pueblo, pero por el don de ciencia sabía quién era y cómo se llamaba. Así que llegué al lugar, no para inventar, ya que con Dios no se improvisa, sino que vamos con seguridad. Ese día me paré en la plataforma y llamé a la mujer por su nombre. Exactamente, ella no era cristiana. Puse mis manos sobre su cabeza y fue sana del cáncer. Ese es el don de ciencia.

- **Don de discernimiento y palabra de sabiduría.**

A este don lo llamo «el que limpia los altares». Es el don que menos se está manifestando. Por eso hay tantos obreros falsos y mentirosos en el altar. Por eso hay tanta gente que engaña a los cristianos. Es porque les falta discernimiento.

El discernimiento es el juicio moral que nos permite determinar si una acción es buena o mala. Es la capacidad que posee una persona para distinguir entre lo bueno y lo malo, lo correcto de lo incorrecto.

Hace muchos años, un pastor contó que, en una oportunidad, cuando estaba iniciando su ministerio, en la iglesia donde se congregaba, durante un miércoles de oración, entró una mujer elegante y dijo: «El Señor me envió aquí para hacer una campaña de tres días. Así que no lo pueden prohibir porque Él me envió». En ese momento, todo el mundo estaba orando por un avivamiento, y ella dijo: «El Señor me dijo que viniera a traer un avivamiento a esta iglesia». Él sentía que algo no cuadraba, y una ancianita que estaba con la cabeza baja, orando y hablando en lenguas, se paró y le dijo: «Ramera, sal de aquí». La gente se quedó espantada. La ancianita continuó diciéndole: «Porque tienes un marido que no es el tuyo, y estás en tal hotel hospedada con él, adulterando. Hoy viniste porque planeaste engañar a estos cristianos preparando una campaña para robarle la ofrenda. "Sal de aquí, porque morirás", dice Jehová». Y la mujer salió corriendo.

Cuando alguien tiene ese don, sabe cuándo le están diciendo una verdad o una mentira. Nadie puede engañar al Espíritu porque Él discierne sobre lo que están tratando de hacer.

Ejemplos:

Pedro

Durante el avivamiento en Samaria, Simón, que había sido brujo, creyó en lo que Felipe predicaba, y andaba con él. Aparentemente, era un buen cristiano y había sido libre. En ese momento, Felipe operaba en los dones de poder, pero no en los dones de revelación, que vinieron a él cuando se fue de Samaria y el Espíritu le reveló que fuera al desierto.

Entonces, mandaron a buscar a Pedro, que operaba casi en los nueve dones, no solo en los de poder sino también los de revelación. Entonces Pedro le dijo a Simón: «*Arrepiéntete, pues, de esta tu maldad, y ruega a Dios, si*

121

*quizá te sea perdonado el pensamiento de tu corazón; porque en hiel de amargura y en prisión de maldad veo que estás (don de discernimiento)» **(Hechos 8:22-23)**.* Es decir, Pedro veía a Simón atado todavía. Había algo en él que tenía que cambiar. Y Simón cayó de rodillas y dijo: «Oren por mí». Si Pedro no llegaba a tiempo, Simón hubiera continuado engañando a Felipe, pero el don de revelación manifestó lo que estaba escondido.

Pablo

Pablo operaba en todos los dones. Si hablaban de lenguas, él decía a los corintios: *«Doy gracias a Dios que hablo en lenguas más que todos vosotros» **(1 Corintios 14:18)**.* La Palabra dice que: *«Aconteció que mientras íbamos a la oración, nos salió al encuentro una muchacha que tenía espíritu de adivinación, la cual daba gran ganancia a sus amos, adivinando. Esta, siguiendo a Pablo y a nosotros, daba voces, diciendo: Estos hombres son siervos del Dios Altísimo, quienes os anuncian el camino de salvación. Y esto lo hacía por muchos días; mas desagradando a Pablo, este se volvió y dijo al espíritu: Te mando en el nombre de Jesucristo, que salgas de ella. Y salió en aquella misma hora» **(Hechos 16:16-18)**.*

Experiencia personal:

Hace veinte años estaba predicando en una pequeña iglesia, y el Espíritu me dijo: «Dile a toda la iglesia que haga silencio». Y obedecí, mandé a toda la iglesia a guardar silencio, y también yo lo hice. Cuando estábamos todos callados, esperando en Dios, se levantó una mujer profetizando en lenguas: «Así dice el Señor». Para ese momento yo no sabía que tenía el don de discernimiento. Hay dones que no sabes que los tienes porque no te lo han enseñado o nunca has tenido que usarlos. Cuando estaba allí, sentí que algo no me cuadraba y comenzó a molestarme. Sentí que mi espíritu se molestaba con la profecía que aquella mujer estaba dando. Tomé el micrófono, me acerqué a la mujer que estaba profetizando y le dije: «¿Cómo te llamas?». Y me respondió: «Varón del cementerio». Era el mismo demonio profetizándonos. Gracias a Dios que el discernimiento vino y el enemigo no pudo terminar de profetizar. Reprendí el espíritu y esa mujer fue libre. El don de discernimiento es para gente comprometida, seria, que ama a su prójimo, que ama a las almas.

Creo que todos los pastores debemos tener esos dones funcionando, sobre todo, el del discernimiento, porque a los que el enemigo más quiere engañar es a nosotros, los pastores. Llegan «hermanitos» con cara de santidad, cara de «yo no fui» y de «soy la víctima», y tenemos que escucharlos todo el tiempo diciendo: «Yo no hice nada». Cuando tienes discernimiento, puedes ver quién lo maneja internamente. Mi oración diaria es: «Señor, despierta a los gigantes espirituales dormidos dentro de la Iglesia».

Hace un tiempo conocí a un hombre que fue a una oficina y le dijo a la persona dueña del lugar:

—Dios me revela que debajo de tu escritorio hay una brujería enterrada.

—¿Cómo?, —cuestionó la persona.

—Sí, rompe el piso, y verás.

Cuando rompieron el piso había tres muñecos y el nombre de uno de ellos, era el de esa persona. Este hombre de Dios, a través del don de ciencia, descubrió lo que el diablo había sembrado en su lugar de trabajo.

Cómo vamos a vivir sin esos dones si son del Espíritu, y lo del Espíritu tiene que fluir en nosotros.

2. Dones vocales o de inspiración.

- **Don de profecía.**

Con respecto a este don, se cometieron muchos errores. Quizás un día Dios usó a alguien con el don de palabras proféticas y ahora quiere profetizar en todos los servicios. Sin embargo, Dios vio la necesidad de manifestar el don profético y el de palabras de sabiduría. Y cuando esa persona terminó, se le acercaron y le dijeron: «¡Wow! Eres un profeta de los últimos tiempos. ¿Puedes ir a mi iglesia a profetizar?». Pero, en verdad, Dios no quiso usarlo ese día. Entonces, ¿qué hace esa persona? Para quedar bien, quiere profetizar como un actor, y termina inventando y adivinando.

Si Dios te usó como profeta y te invitan a profetizar en una iglesia, di: «No, usted se equivocó. Yo voy a predicar, y si el Espíritu Santo quiere, Él me usará profetizando». Prepara tu bosquejo, lleva tu mensaje, abre tu Biblia y comienza a predicar. Ningún don puede sustituir a la Biblia. Tú no puedes vivir de los dones, tienes que vivir de la Palabra para que prediques, porque hay noches que no son proféticas, hay algunas que son de liberación, y otras de revelación. Tienes que caminar de acuerdo con el momento que el Espíritu determinó.

Al principio, quería ver demonios en todos lados, hasta que una noche me lastimé la garganta echando fuera demonios y no salieron. Ninguno se manifestó. Entonces entendí que, aunque yo tenga el poder que tenga, no decido la forma en que se manifestará el Espíritu Santo ni en qué área. Tengo que llegar neutral al altar. Allí, tengo que conocer la Palabra. Por eso, les aconsejo a los profetas que tienen que predicar, porque no todos los días van a profetizar. Si así fuera, les garantizo que van a casar gente que ya está casada. Si no tienes dirección, si no conoces al Espíritu, tal vez esa enfermedad es un juicio de la mano de Dios en contra de esa persona y tú se la quieres quitar.

Los dones no pueden ser manipulados al antojo de quien lo posee. Los dones te manipulan a ti según el propósito de Dios para ese momento.

Cuando quitas la mano de Dios que está en contra de alguien, irá en tu contra.
Si el Espíritu te lo revela, entonces actúa.

Experiencia personal:

Poco tiempo después de comenzar a asistir a la iglesia, participé de un culto de oración. De pronto se levantó una profetiza de esas que Dios usa una vez y después se usan ellas mismas, y dijo: «Mira joven, ella será tu esposa. "Cásense", dice el Señor».

La semana siguiente nos reunimos nuevamente y la misma profetiza le dijo al hombre: «¿Quién te dijo que ella será tu esposa? Porque no lo será». Eso era una locura. La semana anterior le dijo que sería la esposa, y la siguiente ya no. ¿Quién en verdad estaba hablando? No hagas ni digas nada si el Espíritu Santo no te lo revela. No te muevas, y punto.

No trates de impresionar a nadie con los dones. Ellos deben estar sujetos a Su propósito.

3. Don de lenguas.

- **Don de lenguas y género de lenguas.**

Se trata de entender tanto lenguas celestiales como las humanas. Es muy difícil de verlo, pero en mi iglesia Dios bautizó a un muchacho con el don de lenguas y luego mientras oraba hablaba chino, francés, inglés y una lengua celestial.

Cuando recibes el don o los dones, debes tener esto en cuenta: Tú no decides donde ellos se deben manifestar. ¡Eso lo decide el Espíritu Santo! Tú no controlas tus dones, el Espíritu los controla.

Ponme atención porque quiero evitarte un dolor de cabeza. En el plano natural y humano, a veces anhelamos ser usados por Dios, pero con intensiones equivocadas. Muchos cristianos oran: «Úsame con el don de ciencia». Aunque es tuyo, aunque lo poseas, tú no decides dónde se manifestará.

En mi iglesia hay muchos enfermos, me gustaría que todos sean sanos, pero no puedo. Yo llamo según se va revelando lo según el Espíritu quiere. Trataré de explicártelo más profundamente. Elías dice: *«Por mandato tuyo he hecho todas estas cosas»* **(1 Reyes 18:36c)**. El profeta Elías no hizo descender fuego donde él quería sino donde el Espíritu lo determinaba.

Había muchas viudas en Jerusalén pasando hambre, pero Dios dijo que nada más era una.

Así que el Elías, aun siendo el gran profeta, no dijo a qué casa ir, el Espíritu le dijo adónde tenía que ir. No estoy para manifestar la Gloria donde yo quiero, sino donde me el Espíritu me mande.

> *Aunque tenga el Don de milagros,*
> *no en todos los lugares los hay,*
> *porque Dios sabe la necesidad del lugar.*

Ejemplos:

Pedro

El Apóstol Pedro hacía tantos milagros que hasta su sombra espantaba a los demonios. En todo lugar donde Pedro se detenía, hacía un milagro. Pero en la casa de Cornelio no hizo ninguno. Allí predicó y el Espíritu Santo bautizó. Pedro no se puso a inventar y a decir: «Ahora voy a hacer un culto de milagros, vengan todos». ¡No era así! Porque lo revelado por el Espíritu en ese momento, era que Cornelio y los gentiles fueran llenos del Espíritu Santo.

Vive sujeto al Espíritu Santo, vive bajo Su cobertura. Si Él dice: «¡Detente!», obedece. Si te dice: «¡Corre!», obedece. Si te dice: «¡Dobla!», ¡hazlo! Donde Él te meta, ¡ve! Lo que Él te diga, ¡Háblalo!

4. Dones de poder.

Donde el Espíritu Santo no está, no hay nada. Da lástima ver tantas iglesias muertas. Templos de los cuales al ingresar te quieres ir, sientes que te hundes. Mi consejo para todos es que si entras en una iglesia y el pastor no quiere buscar a Dios, ¡vete donde crean en el Espíritu Santo y en los dones de Dios!

La Salvación es muy grande para arriesgarla.

- **Don de fe.**

Me atrae mucho el don de fe, porque le da vida a todo. No me refiero a la fe ordinaria y común, sino la que cree en el Señor Jesucristo para ser salvo. Esa es una fe diferente, y la tenemos todos. Tenemos fe de que Jesús vendrá y nos iremos con Él. Tenemos fe en que, si morimos iremos al cielo. Esa es una fe normal, espiritual, pero no es el don. El don de fe va más allá.

El don de fe no tiene nada que ver con tus sentidos ni tu capacidad. Este don te lleva a hacer cosas que en lo natural jamás lograrías. Cuando tienes el don de fe, solo te sientas a ver cómo Dios opera y obra a tu favor.

Ejemplos:

Moisés

Moisés tenía el don de fe. Cuando Dios le dijo: *«Si Faraón os respondiere diciendo: Mostrad milagro; dirás a Aarón: Toma tu vara, y échala delante de Faraón, para que se haga culebra» (Éxodo 7:9)*. Cuando llegó el momento de estar frente a Faraón, la vara se convirtió en serpiente. Los brujos hicieron lo mismo, pero la serpiente de Moisés se comió las otras varas, las otras serpientes. ¿Qué hizo Moisés para convertir la vara en serpiente? Nada. Solo esperó ver a Dios en acción. El don de fe no depende de ti sino de Él. El don de fe siempre trabaja combinado con el don de milagros.

Elías

Elías tenía el don de fe. Cuando fue al Monte Carmelo reunió a los profetas y dijo: *«Cuando llegó la hora de ofrecerse el holocausto, se acercó el profeta Elías y dijo: Jehová Dios de Abraham, de Isaac y de Israel, sea hoy manifiesto que tú eres Dios en Israel, y que yo soy tu siervo, y que por mandato tuyo he hecho todas estas cosas. Respóndeme, Jehová, respóndeme, para que conozca este pueblo que tú, oh Jehová, eres el Dios, y que tú vuelves a ti el corazón de ellos» (1 Reyes 18:36-38)*. Entonces cayó fuego del cielo. Elías no tuvo que llevar gasolina y fósforos, el fuego llegó. Elías solo se alejó del sacrificio y comenzó a ver cómo ardía. Él no hizo otra cosa que aquello que le dijo Dios.

> *Cuando tienes el don de fe, no es Dios a través de ti. Es Dios por ti. Es Dios a favor tuyo. Es Dios abriendo caminos. Es Dios haciendo caer maná del cielo.*

Experiencia personal:

Mi pastor fue un gran ejemplo de oración. Recuerdo que él oraba siete, ocho y hasta doce horas diarias. Caminaba en una constante oración. Algunos creen que sin orar se puede ministrar la Palabra de Dios. Es imposible servir a Dios sin oración. Como también es imposible ser efectivo sin el Espíritu Santo, pero aún mucho más es hacer las obras de Dios sin los dones en acción.

Como ya sabes, en los países latinoamericanos las motocicletas no son tan nuevas como las que solemos ver en los Estados Unidos. La que yo manejaba no funcionaba muy bien, a cada rato le fallaba la bujía, la bobina, y si iba manejando, era probable que en algún momento se quedara sin corriente.

Recuerdo que una tarde iba conduciendo la motocicleta llevando a mi pastor, para ese momento era nuevo como creyente, y de pronto se apagó la motocicleta en medio de un monte. Nadie pasaba por ahí. Entonces dije: «Pastor, el motor de la motocicleta se quedó sin corriente. ¿Qué hacemos?». Me respondió: «Desde hace un rato siento corriente en mi cuerpo. Déjame poner mi mano encima de la máquina. Le voy a pasar corriente de la mía». El pastor puso su mano sobre el motor y comenzó a hablar en otras lenguas, y de pronto ¡el motor encendió!

- **Don de sanidad**.

Este don puede ser mencionado en plural: dones de sanidad; porque son diversos dones trabajando dentro de un don.

Ejemplo:

Pablo

Pablo tenía ese don. Llegó a una ciudad y se encontró con un hombre que hacía ocho años que no caminaba, era paralítico. Pablo lo miró y le dijo: «Cristo te sana». El hombre dio un brinco y salió caminando.

Esos dones van creciendo, poco a poco se van añadiendo más. Hay cristianos que tienen el don de sanidad para los dolores de cabeza y de huesos. Deben seguir operando allí, pero pueden orar por más. Entonces luego se añaden los dones para enderezar huesos, para extender piernas, para crear ojos, de milagros creativos, etc.

Creo que todos los pastores deberían tener los dones de sanidad. No deberían esperar a que los visite un evangelista para que alguien sea sano.

Durante cada servicio, todo pastor debería invitar a los enfermos a pasar al frente, orar por ellos, y creer que serán sanos. Un día algo va a pasar, él debe mantenerse fiel en la fe, buscando a Dios. Hasta que los milagros lleguen, ¡búscalos! Recuerda que estás bajo la dirección y la cobertura del Espíritu Santo.

- **Don de hacer milagros.**

El don de hacer milagros es diferente al don de fe. Aunque trabajan juntos, el de milagros es Dios a través de ti. El don de milagros no solo se dedica a la parte enferma de los cuerpos, el que una burra hable, también es un milagro.

*«Entonces Jehová abrió la boca al asna, la cual dijo a Balaam: ¿Qué te he hecho, que me has azotado estas tres veces?» **(Números 22:28)**.*

Ejemplos:

Jesús

Jesucristo obviamente operaba en todos los dones. Él fue a las bodas de Caná, y por el don de milagros, transformó el agua en vino. Lo sobrenatural no fue solamente esa transformación, sino que era un buen vino.

Para añejar un vino bueno se necesita de cinco a quince años. Cuando el maestresala lo probó, dijo: «Este es el mejor». Este hombre debía tener bastante experiencia en vinos, y dijo que era el mejor. Eso significa que el vino ya estaba fermentado. Cristo, no solo convirtió el agua en vino, sino que aceleró los días necesarios de la fermentación para que lo fuera. Cuando el don de milagros está operando, está fuera de tiempo, no opera en los tiempos naturales sino en la eternidad.

Pablo

Pablo operaba en milagros. Él dijo: *«Ni mi palabra ni mi predicación fue con palabras persuasivas de humana sabiduría, sino con demostración del Espíritu y de poder, para que vuestra fe no esté fundada en la sabiduría de los hombres, sino en el poder de Dios»* **(1 Corintios 2:4-5)**.

Lamento que muchos líderes ministeriales no crean en eso, pero que no me obliguen a morir como ellos. Yo creo todo lo que dice la Palabra, ya que está por encima de todo concepto, ideología, pensamiento y ciencia. El cielo pasará, la tierra pasará, pero su Palabra es eterna.

El apóstol más completo dijo: *«Porque no osaría hablar sino de lo que Cristo ha hecho por medio de mí para la obediencia de los gentiles, con la palabra y con las obras, con potencia de señales y prodigios, en el poder del Espíritu de Dios»* **(Romanos 15:18-19)**.

Elías

Elías operó en este don. Cuando tomó el manto, golpeó el Jordán y se abrió. Ese fue un milagro. El don de milagro viola la gravedad y hace que cosas imposibles sucedan.

Experiencia personal:

Era un joven creyente todavía nuevo en las cosas del Señor, cuando un día, al llegar al servicio de la iglesia, se cortó la luz. En mi país eso no es extraño, pero noté que la luz solo se había apagado en la iglesia, los vecinos tenían electricidad. Entonces pensé que podía ser que algo se había desconectado. Al mirar, observé que un cable del poste estaba suelto, se había separado de la toma central. Me quedé mirándolo y oré: «Señor, tú puedes hacer que ese cable se levante en el aire, se vuelva a acercar y se amarre solo». ¡Qué locura! Extendí la mano y declaré: «¡En el nombre de Jesús, ahora!». Te aseguro que yo no estaba esperando la respuesta. Pero, aunque no lo creas, el cable se tejió, se pegó a la central y regresó la electricidad al templo. Salí corriendo, no lo podía creer. Eso fue un milagro, algo extraordinario.

Conclusión

A través de este capítulo quise despertar el interés de aquel que anhele conocer al Espíritu y recibir sus dones. Estos son un regalo, pero no son para los que no hacen nada. Nunca he escuchado a alguien decir:

«Estuve sentado mirando televisión y cayeron los nueve dones sobre mí». ¡NO! Siempre ha sucedido en una esfera espiritual de búsqueda, de compromiso, de santidad, de ayuno, de oración, de entrega y de pasión por lograrlo.

Cuando Dios te da un don no lo hace para engrandecerte, sino para engrandecerlo a Él y para beneficiar a otros. Los dones espirituales no serán entregados en aquellos que su visión es su propio espejo. Los dones estarán en gente apasionada por Dios y por sus hermanos.

La decisión está en ti, no en Él. El Espíritu imparte los dones a quien Él quiere. Pero, ¿a quién quiere dárselos? Él se los entregará al que quiere lo que Él quiere. Es decir, no hay límites para esos dones, tampoco exclusividad. No solo son para los pastores ni para los evangelistas, sino para quien los quiera.

Si quieres esos dones del Espíritu Santo en tu vida: ¡Procúralos! La palabra «procurar» es buscar lo escondido, adorar, querer, necesitar con urgencia, arder, desear. Busca con determinación firme de no recibir un NO como respuesta, sino pedirle: «¡Me lo das o me muero!», «Dame el don que tú quieras». Pablo dice: «Procurad los mejores». O sea, tú decides: «Me gusta el don de milagros», y pídelo. Si te atrae el don de discernimiento, di: «¡Señor, dámelo, dámelo!». Primero, búscalo a Él, a Su Presencia. Luego, busca sus dones.

Enfócate en los beneficios y bendiciones que se desatarían si operaras en los dones del Espíritu Santo de Dios. Él te guiaría a toda verdad para dirigirte, para ayudarte a hacer con efectividad la obra de Dios en esta tierra. Pero antes que los dones, conoce al Espíritu Santo como tu amigo.

> *Si tú lo quieres, lo puedes tener.*
> *Procurad los mejores dones.*

Capítulo VI

Cuando el Espíritu de Dios desciende

«Pasadas estas cosas, aconteció que los hijos de Moab y de Amón, y con ellos otros de los amonitas, vinieron contra Josafat a la guerra. Y acudieron algunos y dieron aviso a Josafat, diciendo: Contra ti viene una gran multitud del otro lado del mar, y de Siria; y he aquí están en Hazezón-tamar, que es En-gadi. Entonces él tuvo temor; y Josafat humilló su rostro para consultar a Jehová, e hizo pregonar ayuno a todo Judá» (2 Crónicas 20:1-3).

E s normal sentir miedo. Lo que no es normal es que el miedo te paralice. Siempre habrá procesos que vendrán a tu vida y producirán temor, pero no permitas que te detengan.

Podemos ver en estos versículos de Crónicas que, cuando Josafat sintió temor, buscó ayuda y humilló su rostro delante de Dios para consultarle qué hacer. No dejes que el miedo te paralice, en medio del temor busca a Jehová, tu Dios, y Él extenderá su mano hacia a ti.

Cuando leí esta historia bíblica, comprendí que esta debe ser la actitud que cada cristiano necesita tener. Entender que no vamos a escapar de los procesos de la guerra y las batallas, que todos, en algún momento, pasaremos por amenazas, tiempos difíciles, donde creemos que todo se acabó.

Cuando Josafat escuchó que venía un ejército contra él, entendió que no tenía la fuerza suficiente como para vencer al gran pueblo de Moab. Su corazón tembló. Le dio miedo y entró en pánico. Pero no se paralizó, sino que humilló su rostro buscando a Dios y consultándole qué debía hacer. Debes aprender que ninguna circunstancia puede obligarte a tomar decisiones. A pesar del dolor o de lo que estés sintiendo, siempre consulta a Dios. Ante cada paso que vayas a dar en tu vida, Dios siempre te dará el consejo correcto para tomar la dirección perfecta, y te llevará a ver la ganancia del proceso que estás atravesando.

Josafat pidió ayuda a Dios. ¡Qué poderoso ejemplo! No corrió a buscar consejo humano, sino que identificó de dónde podía venir su socorro, su ayuda, quién era el fuerte que podía librarlo de las manos de los moabitas. Él consultó y pidió ayuda al Dios de Israel.

Cuando te encuentres en medio de una batalla, abre la boca ante Dios y pídele socorro. Si sientes que tu matrimonio está destruyéndose, es tiempo de mirar al cielo y pedirle a Dios. Cuando ves que tus hijos ya no te obedecen, pídele ayuda a Dios. Si enfrentas un problema de salud, pide ayuda a Dios. Si sientes que tu iglesia no crece, es tiempo de pedirle ayuda a Dios. Él hace que las cosas funcionen.

Parece sencillo, pero no lo es. La mayoría de los cristianos ni siquiera toman a Dios en cuenta al momento de tomar decisiones en su vida, sino que lo hacen basados en lo que les conviene, según el panorama o la atmósfera en la que se están moviendo.

Tanto el profeta Elías como los demás, estaban sujetos al Espíritu Santo de Dios. El arroyo se secaba y ya no llegaban los cuervos, pero Elías se mantenía allí, esperando el movimiento de Dios para recién entrar él en acción.

> *Frente a cualquier circunstancia, consulta a Dios.*

Él direcciona los dones

Jamás dejes que la derrota o la victoria tomen decisiones en tu vida. Permite que quien te direccione sea el Espíritu Santo de Dios. Nadie puede moverse sin Su Espíritu. Si alguien quiere tener victoria debe estar bajo la dirección de Dios y la guía de Su Espíritu.

Un domingo, al finalizar la predicación quise ministrar milagros, anhelaba ver a Dios moverse. Traté de forzar, de presionar para que algo sucediera, entonces escuché que Dios me dijo:

—No me empujes.

—¿Cómo, Señor? —pregunté.

—No empujes lo que se supone que tiene que empujarte a ti.

Entonces entendí que, aunque tenga el don de milagros, no puedo manifestarlo donde yo quiera. Si el don fuera mío, yo vaciaría los hospitales de mi ciudad. Pero no es así. Los dones que yo cargo están sujeto al propósito y a la voluntad del eterno Dios que habita en lugares inaccesibles. Él está por encima de todos y nadie está por encima de Él.

> ## Consulta a Dios en medio de tus procesos.

Josafat estaba temblando porque sabía que lo iban a matar, al igual que a sus hijos y que violarían a las mujeres. Él no tenía fuerza para enfrentar esa situación. Como muchos de nosotros, que ya no tenemos fuerza para seguir, entonces decimos: «¿Y ahora qué haremos?».

Josafat se humilló y proclamó ayuno. Buscó el rostro de Dios. Lo significativo fue que Dios no le dijo que lo hiciera, sin embargo, Josafat tomó la iniciativa de acercarse a Él.

*«Y se reunieron los de Judá para pedir socorro a Jehová; y también de todas las ciudades de Judá vinieron a pedir ayuda a Jehová. Entonces Josafat se puso en pie en la asamblea de Judá y de Jerusalén, en la casa de Jehová, delante del atrio nuevo; y dijo: Jehová Dios de nuestros padres, ¿no eres tú Dios en los cielos, y tienes dominio sobre todos los reinos de las naciones? ¿No está en tu mano tal fuerza y poder, que no hay quien te resista? Dios nuestro, ¿no echaste tú los moradores de esta tierra delante de tu pueblo Israel, y la diste a la descendencia de **Abraham tu amigo para siempre**?» (2 Crónicas 20:4-7).*

Josafat estaba orando a Dios y mencionó: «la diste a la descendencia de Abraham tu amigo para siempre», comprendí cómo Dios hace pactos de amistades con aquellos que lo aman y lo buscan.

Si eres amigo de Dios en este tiempo,
Él será tu amigo en la eternidad.

El Espíritu de Dios en las reuniones

Todo el pueblo oraba junto a Josafat, tanto los grandes como los pequeños. La Biblia dice que las mujeres tenían los niños en sus brazos y también estaban los levitas y los sacerdotes. Todos se presentaron delante de Jehová en oración, en humillación y en ayuno. Todos pedían socorro al Dios de Israel. Imagínate que ahora todos saliéramos a las calles, y mirando al cielo, dijéramos: «Dios, respóndenos esta noche. Ayúdanos».

El pueblo de Judá y de Jerusalén estaba a la intemperie, al aire libre, implorando el favor de Dios. Y algo sucedió cuando estaban en medio del clamor: la atmósfera comenzó a cambiar.

«Y estaba allí Jahaziel hijo de Zacarías, hijo de Benaía, hijo de Jeiel, hijo de Matanías, levita de los hijos de Asaf, sobre el cual **vino el Espíritu de Jehová en medio de la reunión»** *(2 Crónicas 20:14).*

Declaro en fe que no habrá reunión ausente de Dios, cuando Él es el centro. Cuando hay cristianos que buscan a Dios con fe, Su Presencia descenderá en cada reunión, en cada servicio donde quiera que sea. Declaro que, en cada reunión hecha en Su nombre, Dios descenderá, se moverá en dimensiones más elevadas, más gloriosas, porque Su Espíritu estará allí.

En Judá, estaban todos de pie llorando frente al templo; y en medio de la reunión, el Espíritu de Dios descendió y la atmósfera cambió. Dios descendió en respuesta a la humillación, al clamor, a la dependencia que le mostró el rey a Dios. Cuando Su presencia desciende en una reunión, Él comienza a quitar lo que sobra y a poner lo que falta.

Cuando su Espíritu desciende, las cosas difíciles se tornan fáciles y lo torcido se endereza. Las cosas nuevas, inusuales, incontrolables de Dios empiezan a suceder: alguien llora por aquí, otro es liberado por allá, uno se sana más allá. El Espíritu se mueve en diferentes formas.

> *Prepárate. El poder y la gloria de Dios llegará a tus reuniones y lo transformará todo.*

¿Sabes lo que me gusta de este capítulo de Crónicas? Que el hombre que comenzó a profetizar no era profeta, se convirtió en uno. Más de un millón de personas estaban reunidos de pie delante de Dios, y Su Presencia descendió. El rey Josafat dijo: «*Creed en Jehová nuestro Dios y estaréis seguros,* **cree en los profetas y seréis prosperado**» **(2 Crónicas 20:20)**.

Pero, ¿cuál profeta? Si no había. Solo había un levita que fue transformado en profeta. Su asignación era cantar en el grupo de los levitas, pero cuando el Espíritu descendió sobre él, fue transformado de salmista a profeta. Él llegó con el arpa para tocar, y cuando el poder de Dios vino, le quitó el arpa y lo puso a profetizar.

> *Llegó como levita, pero salió como profeta.*

Las cosas se van a acelerar, ¡se van a acelerar!

Amado lector, te animo a reunirte en la iglesia cada semana y a asistir a los eventos que se hacen durante todo el año. Allí, muchas personas serán transformadas, ingresarán a una nueva dimensión, pasarán de un nivel a otro. Llegarán como salmistas y saldrán como profetas. Llegarán como simples cristianos y serán cambiados por el Espíritu de Dios. Algunos llegarán al servicio como pastores y saldrán con una unción de milagros. Se alterarán sus ojos, su nariz, su boca y su lengua. Sucederá una transición.

Entonces aquellos que llegaron buscando milagros, saldrán haciendo milagros. Llegarán buscando profecías y saldrán profetizando. Porque el Espíritu de Dios estará sobre ellos y los va a promover.

> *No te asombres porque serás cambiado, las cosas serán alteradas. Tu mensaje va a cambiar, tu servicio va a cambiar, tus reuniones van a cambiar. El que cambia profetas llegará a ti.*

La próxima vez que Dios tenga que enviar a alguien para enderezar tu camino por no haber escuchado al profeta mayor de la casa, ese día vendrá un juicio sobre ti. Dios no tiene por qué enviar a alguien a hablarte si ya te habla todos los domingos. Dios quiere usarte para cosas grandes. Si eras buscaba recibir profecías, la visita del Espíritu de Dios te hará profetizar a ti. Prepárate porque las cosas se van a alterar, los sensores aumentarán, el poder de Dios llegó para quedarse y te usará como a un ungido.

El joven Jahaziel no sabía lo que sucedería. Él llegó a la reunión con su arpa para cantar, pero en medio de la reunión el poder de Dios lo arrebató, soltó el arpa y dijo: «Así dice Jehová».

Cuando el Espíritu de Dios desciende ocurren cambios de ministerios en nuestra iglesia, cambio de expectativas, algunas personas llegarán para ser ungidas, otras saldrán a ungir. Soltarán el pañuelo de lágrimas y tomarán el pandero de la alegría, porque ese día se alterarán las cosas en sus vidas.

Cuando estaba por escribir este capítulo, Dios me dijo: «Hablarás de esto: Cuando Yo desciendo a una reunión, quito el arpa que los hombres te dieron y te abro tu boca de profeta para lo cual naciste».

Jahaziel no era profeta, pero profetizó. En pocos minutos aprendió a hablar de parte de Dios, y aunque nunca había profetizado, lo estaba haciendo ante miles de personas. Y Josafat sabía que, aunque el muchacho era nuevo, debían creerle. Él no era un profeta con mucha experiencia, esa era su primera vez, pero si creemos en los profetas, seremos prosperados. Cuando el Espíritu de Dios descienda sobre ti, muchos no te reconocerán, ellos sabrán que no eres el mismo. Te oirán hablar y dirán: «Algo le pasó». Es el Espíritu de Dios que está sobre ti.

Era la primera vez que Jahaziel estaba profetizando, y describió con especificación por qué dirección pasarían los moabitas. Dios aceleró su oído, aceleró su lengua, aceleró su vida en minutos, en segundos. Dios es el Señor de la eternidad y *Él muda los tiempos.* El rey Nabucodonosor dijo: «Él quita reyes, y pone reyes». Él sube a quien quiera y aplasta a quien quiera.

Proverbios dice: *«Como los repartimientos de las aguas, así está el corazón del rey en la mano de Jehová» (21:1)*. Él lo inclina para donde mejor le parece. Conozco al Dios que acelera los tiempos, que cambia a un ladrón y lo transforma en un príncipe al amanecer. Conozco al Dios que hizo de aquel hombre un profeta, al que hizo crecer el árbol en una noche y en un día desapareció, al Dios que hizo que una rama seca floreciera y diera almendras en una noche.

No sé con qué expectativa comenzaste a leer este libro, pero sé que, al terminarlo, la presencia de Dios te tocará y las cosas difíciles se tornarán fáciles. Y lo que tú no podías hacer, comenzarás a hacerlo. Si no eras inteligente, comenzarás a ser sabio y entendido. El Espíritu de Dios se moverá con poder en ti y por medio de ti.

El Espíritu de Dios reparte los dones a quien Él quiere y como Él quiere. Seguramente tu corazón ha estado ardiendo, anunciándote que eres elegible por el Espíritu para ser usado en lo sobrenatural.

> *Cuando la presencia de Dios desciende a la reunión y se derrama, las cosas cambian.*

La atmósfera de la adoración

En una oportunidad, estábamos preparando el Congreso *Siete horas en Su presencia,* que realizamos todos los años en la ciudad de Kansas City, y la gente me preguntaba cuál era la clave del Congreso. Respondí que había dos claves: La primera es la Presencia de la persona del Espíritu de Dios y la segunda es la adoración.

Eliseo era el profeta más grande después de Elías en sus días, y dijo: *«Vive Jehová de los ejércitos, en cuya presencia estoy, que si no tuviese respeto al rostro de Josafat rey de Judá, no te mirara a ti, ni te viera. Mas ahora traedme un tañedor. Y mientras el tañedor tocaba, la mano de Jehová vino sobre Eliseo»* **(2 Reyes 3:14-15)**.

He visto a muchos siervos de Dios tratando de fluir en la unción sin una atmósfera adecuada. La adoración es necesaria para crear la atmósfera donde el Espíritu Santo se manifestará.

> **Prepárate porque la presencia de Dios va a cambiar todo tu entorno.**

Dicen las Escrituras que cuando el tañedor cantó, se manifestó el Espíritu de Dios y la mano de Jehová vino sobre Eliseo. Él dijo: *«Porque Jehová ha dicho así: No veréis viento, ni veréis lluvia; pero este valle será lleno de agua, y beberéis vosotros, y vuestras bestias y vuestros ganados»* **(v.17)**. La adoración os eleva a dimensiones donde hablarás cosas que no encajan con lo humano. Comenzarán como adoradores y terminarán como profetas. Jahaziel comenzó como salmista y terminó como profeta. Habrá personas que comenzaron cuidando los baños del templo y terminarán pastoreando. El Espíritu de Jehová vendrá sobre ellos y los hará transicionar.

Con frecuencia me preguntan: «Pastor, ¿cómo puedo oír la voz de Dios?». En primer lugar, deja que Dios llegue, entrégale tu preocupación, permite que Él trate de comunicarse contigo. Él sabe qué hacer para que tú lo oigas.

He visto al Espíritu de Dios descender sobre prostitutas y transformarlas en pastoras, sobre narcotraficantes y transformarlos en profetas. El Espíritu Santo se presentará donde tengan hambre de Él.

Cuando el Espíritu descendió, Josafat reaccionó en fe. Si el poder de Dios está presente en la reunión, al igual que Josafat, hay que humillarse y decir: «Creer en Jehová y creer en sus profetas».

Cuando Dios habló, Josafat se arrodilló y dijo amén. El rey y el pueblo se inclinaron reverenciando lo que Dios acababa de decir. Hay personas a las que Dios les está hablando y no se inmutan. Le dicen la verdad, y no reaccionan a la Palabra. Es muy triste ver gente a quienes Dios les habla y no lo toman en cuenta ni le dan valor a su Palabra. Esto es grave porque la Palabra dice que: «*Por cuanto tuvo en poco la palabra de Jehová, y menospreció su mandamiento, enteramente será cortada esa persona; su iniquidad caerá sobre ella*» **(Números 15:31)**. Cada vez que Dios hable a tu vida, reacciona en humildad, fe y agradecimiento ante el Dios Todopoderoso.

Tres profecías para ti

Querido lector, voy a regalarte tres profecías para ti:

Cuando el Espíritu de Dios habló, Josafat puso a los levitas a cantar y se fueron a marchar: «*Y luego que vino Judá a la torre del desierto, miraron hacia la multitud, y he aquí yacían ellos en tierra muertos, pues ninguno había escapado. Viniendo entonces Josafat y su pueblo a despojarlos, hallaron entre los cadáveres muchas riquezas, así vestidos como alhajas preciosas, que tomaron para sí, tantos, que no los podían llevar; tres días estuvieron recogiendo el botín, porque era mucho»* **(2 Crónicas 20:24-25)**.

Amado lector, ¿crees que puedes pasar de la escasez a la sobreabundancia de Dios? Casi dos millones de personas recogieron el oro y las riquezas de sus enemigos por tres días. Si crees en estas palabras proféticas que declararé, prepárate, porque:

- Recogerás cosas que no se te cayeron.

- Recibirás bendiciones que Jehová provocó a tu favor.

- Llegarán los días donde tu limitación se acabará y la abundancia entrará en el escenario de tu vida.

Vienen días donde Jehová provocará la bendición. No dependerá de tu fuerza, sino de la de Dios. Cuando la gente vio a los moabitas acercarse, decían: «Vienen a matarnos», pero Josafat no sabía que Dios usó a ese ejército como transporte para acercarles la bendición.

Prepárate porque lo que hoy necesitas, mañana te faltarán manos para recibirlo.

Cada proceso es una carga de gloria que acelerará tu vida.

La torre de la bendición

¿Has pensado en la posibilidad de que Dios te bendiga tanto que dediques ocho horas diarias durante seis meses, contando lo que Jehová te entregó en un día y tardaste recogiendo en tres? Tenemos una mente limitada, pero, ¿a qué Dios tú sirves? Es el Dios de todas las cosas.

Sin embargo, lo que más me sorprendió fue dónde Dios los bendijo: «Estaban en la torre del desierto». En un desierto, Jehová les dio tanto que no lo pudieron recogerlo en dos días, necesitaron tres. En el desierto no hay nada, todo escasea. Ahí Dios hace que sobre.

El profeta Eliseo dijo: «Sin vientos ni lluvia habrá agua». Los capitanes dijeron: «Pero, ¿cómo es eso posible?». No pudieron dormir, porque cuando Dios habla desafía la lógica y la ciencia. Lo de Dios es sobrenatural. Sin viento y sin lluvia verían la benevolencia de Jehová en el desierto de la torre de Judá.

Todo desierto en tu vida es el escenario perfecto para ver la gloria de Jehová. Ya sea en tu casa, en tu matrimonio o con tu economía. En el desierto los quiso enriquecer. Dios no está sujeto a espacios, a tiempo ni a materia. Él hace de la nada todo.

¡Prepárate! En un desierto, un terreno duro, difícil, esa ciudad donde nadie se convierte, donde todo es corrupción, Dios dice: «Ahí confundiré a todos los que se han levantado contra de ti y haré que todo el que te hizo la guerra, desfallezca, pero a ti no llegue. He creado un muro de fuego alrededor de tu casa, de tus hijos y de tu familia; y donde te esperan tus enemigos, tu muerte, ahí te daré la bendición».

- Creo en la sobrenaturalidad y supremacía de Dios.

- Creo que cuando Dios determina abrir caminos para ti, no hay quien te atrase.

- Creo que los días de la intervención de Dios en tu vida comienzan ahora.

Dios va a intervenir en tu casa, en tu familia, en tu negocio, en tu iglesia, en tu ministerio. La gente te mirará y no podrá explicarlo y dirán: «Sin vientos y sin lluvia, pero Dios está con él».

> *Dios hará que cosas inalcanzables sean fáciles de alcanzar para ti en los días venideros.*

La bendición de Dios llegó al desierto cuando el Espíritu llegó a la reunión. Desde que Su presencia llegó al pueblo, todas estas cosas comenzaron a acontecer. Cuando Él desciende, la gente te conoce sin tú conocerlos. ¿Sabes lo que dijeron algunos vecinos, los grandes comerciantes del sector donde está nuestra iglesia y hasta el mismo gobernador? Que desde que llegamos a Minnesota Avenue, toda esa región cobró vida, y agregan: «Si alguien en Kansas quiere ser sano, vaya a la 1015 Minnesota Avenue. Ahí hay cristianos llenos del poder del Espíritu de Dios».

> *Tú serás causa de bendición donde llegues con la presencia de Dios, todo será cambiado.*

Llenura vs. Bautismo del Espíritu Santo

«Y de repente vino del cielo un estruendo como de un viento recio que soplaba, el cual llenó toda la casa donde estaban sentados; y se les aparecieron lenguas repartidas, como de fuego, asentándose sobre cada uno de ellos. Y fueron todos llenos del Espíritu Santo, y comenzaron a hablar en otras lenguas, según el Espíritu les daba que hablasen» **(Hechos 2:2-4)**.

Una cosa es el bautismo del Espíritu Santo y otra es la llenura. El bautismo es uno solo, una sola vez. La llenura es todos los días, constantemente.

De acuerdo con la Palabra, el día que el Espíritu Santo descendió en la reunión de Josafat, levantó un levita, le quitó el arpa y lo puso a profetizar. Y el texto de Hechos relata que estaban todos unánimes y juntos orando en el aposento alto.

Pero luego de haber sido bautizados en el Espíritu Santo, Pedro se puso de pie y dijo: *«Mas esto es lo dicho por el profeta Joel»* **(Hechos 2:16)**. Entonces Dios me dijo: «Mi siervo, donde yo no estoy, la gente está sentada; pero cuando yo llego, los pongo de pie y los hago ser funcionales». Por eso, en la iglesia verás gente detenida que será removida, y gente sentada que será levantada. Después de que Pedro se levantó de esa silla, nunca más se sentó.

Creo que los días de estar sentado, estacionado en tu vida, han terminado, hay dones fluyendo a través de ti. Tal vez hay un don profético empujándote, y no podrás volver a estar sentado. Dios llegará y levantará a levitas, ungidos y profetas.

Estaban todos sentados, pero cuando el viento sopló y el Espíritu llegó, los que estaban sentados se pararon y comenzaron a hablar en lenguas, en idiomas extraños, uno hablaba en chino, otro en japonés, otro en árabe, otro en hebreo. El Espíritu los levantó de donde estaban sentados y los expuso a un ministerio.

Esos días de estar sentados han terminado. Dios te levantará a ti, te ungirá, te levantará de donde la circunstancia, el problema o la necesidad, te sentó. Viene el aliento y el oxígeno de Dios para tu ministerio. Ya no permanecerás sentado sin hacer nada. No ocuparás un asiento en la iglesia, sino que llevarás a alguien para que sea salvo.

Oirás el viento de Dios soplando en tu vida. Oirás el aliento de Dios soplando en tu ministerio, en tu iglesia. Ya no descansarás en una estrategia de hombres, sino que el Espíritu te moverá, te levantará. El Señor te sacará de la depresión, de la soledad, de la decepción, del desánimo y serás transformado. El poder del Espíritu Santo vendrá en una nueva dimensión sobrenatural.

Hoy Dios te levanta. Su presencia será para ti, el pan de cada día.

Capítulo VII

El Espíritu Santo en la Biblia

«Mas el fruto del Espíritu es amor, gozo, paz, paciencia, benignidad, bondad, fe, mansedumbre, templanza; contra tales cosas no hay ley» ***(Gálatas 5:22–23)***.

En una oportunidad, hace años, fui invitado a un campamento organizado por las Asambleas de Dios en la ciudad de Chihuahua, México. Recuerdo que no era uno de los invitados principales, pero un pastor amigo le habló de mi ministerio a los organizadores, y ellos, con mucho amor decidieron invitarme.

Cuando arribamos al aeropuerto, viajamos a Chihuahua en automóvil alrededor de cuatro horas. Primero fui al hotel, allí me recibió el pastor Villesca, quien me había invitado. Por la noche fuimos al campamento. Al ingresar había un hermoso ambiente de adoración. Vi al predicador invitado subir a la plataforma y comenzar a predicar. Luego de un tiempo, comenzó a orar por los jóvenes, algunos de ellos estaban bajo el poder de Dios.

De pronto, todo cambió. Uno de ellos cayó a tierra poseído por un demonio. El predicador trató de ayudarlo, pero no pudo. Ese demonio no obedecía a nadie. El culto terminó y no supe qué ocurrió finalmente con ese joven. Alguien lo llevó a otra sala para continuar orando por él. Al ver eso, me quedé sorprendido y al mismo tiempo asustado. Era mi primera vez en un campamento tan grande, con miles de jóvenes y pastores participando.

Cuando regresé al hotel, le dije a Dios: «Señor, ¿qué hago yo aquí? No tengo la unción de ese pastor». Sabía que ese pastor tenía una unción preciosa. Y volví a preguntarle: «Señor, si el joven endemoniado estremeció a ese pastor, ¿qué será de mí mañana?». Y comencé a llorar ante Su Presencia. Esa noche, no dormí. Oré toda la noche. Estaba asustado y nervioso.

Al despertar la mañana siguiente, no pude desayunar, no tenía hambre. Debía predicar por la tarde, y cada vez estaba más nervioso. Lo que no me había dado cuenta era de que la noche anterior me había rendido a Dios pidiendo Su ayuda, y esto me había llevado a depender de Él.

Cuando llegué al campamento, había muchos jóvenes buscando a Dios. Ese día el Señor puso en mi corazón que hablara del poder del Espíritu Santo. Comencé a predicar, pero aún continuaba nervioso. Luego de unos treinta minutos noté que la mayoría de los jóvenes no me prestaban atención. Entonces dije dentro de mí:

—Señor, ¿y ahora qué hago?

El Espíritu Santo me dijo:

—Ya les predicaste de mi poder, ahora demuéstraselos.

—¿Y cómo lo haré?, —pregunté en mi interior.

—Mira al frente, ¿ves esa joven con un cuello ortopédico?

Al observar, vi a lo lejos una joven con el cuello torcido. Entonces el Espíritu Santo me dijo:

—Llámala al frente.

Lleno de nervios, obedecí. La llamé frente a todos y el Espíritu Santo me dijo:

—Pon las manos sobre ella.

Cuando los jóvenes vieron que esa joven estaba frente a ellos, comenzaron a interesarse y a observar qué iba a suceder. Extendí mi mano como me dijo el Espíritu Santo, y cuando la toqué, todo cambió en ese lugar. Corriente salía de mis manos. La joven gritó fuerte diciendo: «Estoy sana». Inmediatamente comenzó a temblar y cayó al piso. Luego de unos minutos se levantó, se quitó el cuello ortopédico, y comenzó a danzar y a moverse sin dolor. Le pregunté qué le había sucedido, y me contó que había sufrido un accidente y que le habían dicho que durante mucho tiempo no podría mover el cuello. Pero el dolor ya se había ido. Ella lloraba, yo lloraba, los jóvenes lloraban. De pronto, un río del Espíritu Santo cayó sobre todos en el campamento. Comenzaron a caer al piso tocados por la unción.

Luego, otro joven se me acercó y me dijo: «Pastor, ¿puede orar por mi amiga?». Era una joven que también había tenido un accidente hacía varios años y estaba paralitica, en una silla de ruedas. El doctor le había dicho que nunca más podría volver a caminar.

Cuando la vi, dije: «Dios mío, ¿qué hago? Espíritu Santo, ¿qué hago?». Me respondió: «Ponle las manos en la cabeza». Obedecí, y de pronto vino sobre ella el poder del Espíritu Santo y mientras estaba sentada en la silla de ruedas comenzó a temblar. Al ver su temblor, le pregunté: «¿Qué te pasa? ¿Qué sientes?». Ella me dijo: «No lo sé. Hay una corriente que pasa por todo mi cuerpo». Sus labios temblaban. De pronto cayó al piso desde su silla. Estuvo unos minutos temblando y luego se levantó totalmente sana. Ella pudo caminar sin problemas. La joven brincaba de la alegría, y yo también. Jamás imaginé que Dios pudiera usarme así.

Salí del campamento hacia el hotel muy tocado por Su Presencia. Los pastores me pidieron que predicara en la noche también. Acepté y Dios hizo cosas maravillosas. Continuaron las sanidades y la unción se derramaba poderosamente. Pero todo comenzó con una rendición en la presencia de Dios.

El ministerio del Espíritu Santo

El ministerio del Espíritu Santo comienza con mayor evidencia en el Libro de los Hechos. Cuando Cristo estaba en la Tierra, Su ministerio fue ungido por el Espíritu Santo. Pero cuando ascendido al cielo, el Espíritu Santo se manifestó a través de los discípulos. Comenzó en plenitud y abiertamente el día de Pentecostés. Antes, estaba en Jesús, sobre Jesús y operaba a través de Jesús. Pero cuando descendió, el día de Pentecostés, comenzó a operar a través de la Iglesia. Desde ese momento, el Espíritu Santo trata directamente con la Iglesia. Antes de que Jesús se fuera, era el Espíritu tratando a través de Jesús con el pueblo, pero ahora era el Espíritu Santo directa y muy activamente, quien dirigía toda la Iglesia.

Algunos de los versículos que muestran al Espíritu Santo:

- *«Y dijo Pedro: Ananías, ¿por qué llenó Satanás tu corazón para que mintieses al Espíritu Santo, y sustrajeses del precio de la heredad? (Hechos 5:3)*. De acuerdo con este texto, el Espíritu Santo estaba allí presente. Cuando Ananías y Safira mintieron, no le mintieron a Pedro sino al Espíritu Santo.

- *«Y Pedro le dijo: ¿Por qué convinisteis en tentar al Espíritu del Señor? He aquí a la puerta los pies de los que han sepultado a tu marido, y te sacarán a ti» (Hechos 5:9)*.

- *«Y nosotros somos testigos suyos de estas cosas, y también el Espíritu Santo, el cual ha dado Dios a los que le obedecen» (Hechos 5:32)*. La presencia del Espíritu Santo era tangible en el Libro de los Hechos, en los inicios de la Iglesia. Pedro dijo: «Nosotros somos testigos de estas cosas y el Espíritu Santo también». Esto confirma Su presencia latente.

- *«Vosotros resistís siempre al **Espíritu Santo** (...)» (Hechos 7:51)*.

- Más adelante agrega: *«Y el **Espíritu** me dijo que fuese con ellos sin dudar» (Hechos 11:12)*.

- *«Y levantándose uno de ellos, llamado Agabo, daba a entender por el **Espíritu**, que vendría una gran hambre en toda la tierra habitada; la cual sucedió en tiempo de Claudio» (Hechos 11:28)*. Aquí vemos al Espíritu anunciando el hambre que vendría en aquellos días.

- *«Ellos, entonces, enviados por el **Espíritu Santo**, descendieron a Seleucia, y de allí navegaron a Chipre» (Hechos 13:4)*. El Espíritu Santo enviando a la gente, dándoles una instrucción.

- *«Porque ha parecido bien al **Espíritu Santo**, y a nosotros (...)» (Hechos 15:28)*. Parece que hicieron una reunión con Él y dijo: «Esto es lo que conviene para la iglesia». El Espíritu Santo dio Su «visto bueno», Su aprobación.

Pablo y el Espíritu Santo

Pablo es el apóstol que más nos habla de la vida en el Espíritu y de la comunión con el Espíritu Santo. Él fue unos de los que más conoció al Espíritu Santo y vivió una vida totalmente rendida, dirigida por Él. A través de Pablo aprendemos cómo debe vivir un hombre y una mujer de Dios en el ministerio. Veamos algunos ejemplos:

- *«(...) les fue prohibido por el **Espíritu Santo** hablar la Palabra en Asia» (Hechos 16:6)*. El Espíritu le dijo al Apóstol Pablo que no era tiempo de predicar en Asia, porque tenía el terreno listo en Macedonia. Observamos que el Espíritu Santo *prohibía* una acción, esto significa que tenía *autoridad* sobre él.

- *«Y cuando llegaron a Misia, intentaron ir a Bitinia, pero el **Espíritu** no se lo permitió» (Hechos 16:7)*. El Espíritu Santo dirigía a los predicadores de la antigüedad.

- *«(...) Pablo estaba entregado por entero a la predicación de la palabra, testificando a los judíos que Jesús era el Cristo» (Hechos 18:5)*.

- Pablo se vio obligado por el **Espíritu** a pasar por Macedonia *(Hechos 19:21)*. El Espíritu lo empujó, lo obligó, lo instó.

- *«Salvo que el Espíritu Santo por todas las ciudades me da testimonio, diciendo que me esperan prisiones y tribulaciones» (Hechos 20:23)*. Nuevamente, el Espíritu Santo hablando.

- *«Por tanto, mirad por vosotros, y por todo el rebaño en que el Espíritu Santo os ha puesto por obispos (...)» (Hechos 20:28)*. El Espíritu Santo es quien asigna a los pastores.

- *«¿Recibieron ustedes el Espíritu Santo cuando creyeron? Y ellos le dijeron: Ni siquiera hemos oído si hay Espíritu Santo» (Hechos 19:2)*. Pablo les preguntó a los creyentes de Éfeso.

- *«Cuando oyeron esto, fueron bautizados en el nombre del Señor Jesús. Y habiéndoles impuesto Pablo las manos, vino sobre ellos el Espíritu Santo; y hablaban en lenguas, y profetizaban» (Hechos 19:5-6)*.

Antes de invitar a un predicador a tu iglesia, una de las primeras reglas debería ser preguntarle: «¿Conoces al Espíritu Santo?». Esta pregunta nos evitaría muchos problemas, ya que solo recibiríamos hombres y mujeres, llenos del poder de Dios.

Cada pastor, predicador, evangelista, profeta, maestro, apóstol, deberían estar bautizados con el Espíritu Santo con la evidencia de hablar en otras lenguas. Así como los hombres de Éfeso, y que continuamente sean llenos de la presencia de Dios.

Cuando el Apóstol Pablo impuso las manos sobre estos hombres, ellos fueron bautizados al instante con el Espíritu Santo. ¡Qué falta hacen hombres como Pablo en estos tiempos! Ministros llenos de Dios que puedan poner las manos sobre otros y revivieran el poder del Espíritu Santo.

¿Por qué incluyo en este capítulo la participación del Espíritu Santo en el Nuevo Testamento? Porque Satanás se ha encargado de deshacer la importancia de la actividad y el compañerismo y la comunión del Espíritu Santo en la Iglesia.

Por esa razón, la iglesia primitiva era tan fuerte en todo tipo de señales y milagros, porque el Espíritu Santo la dirigía y hasta ahora lo hace, pero hay otras en donde ni siquiera se está moviendo.

Pedro y el Espíritu Santo

Pedro, el primer pastor de la iglesia primitiva, fue el apóstol que operó en milagros e intervenciones sobrenaturales, ya que tuvo visitaciones de ángeles. ¿Cuál era el secreto de Pedro?

1. Vida de oración.

Tenía una vida de oración, y no la negociaba. Era fiel de su tiempo a solas con Dios. La Biblia dice:

«Entonces los doce convocaron a la multitud de los discípulos, y dijeron: No es justo que nosotros dejemos la palabra de Dios, para servir a las mesas. Buscad, pues, hermanos, de entre vosotros a siete varones de buen testimonio, llenos del Espíritu Santo

y de sabiduría, a quienes encarguemos de este trabajo. Y nosotros persistiremos en la oración y en el ministerio de la palabra» **(Hechos 6:2-4)**.

2. Comunión con el Espíritu Santo.

Su comunión con el Espíritu Santo era muy profunda, de manera que él lo conocía. Conocía su voz y era dirigido en todo por el Espíritu de Dios. Fue el apóstol de lo sobrenatural. Pero, ¿cuál era su secreto para tener esa vida tan deseable por nosotros? La clave la leemos en sus historias. Observemos cómo fue guiado por el Espíritu Santo:

«Y mientras Pedro pensaba en la visión, le dijo el Espíritu: He aquí, tres hombres te buscan. Levántate, pues, y desciende y no dudes de ir con ellos, porque yo los he enviado. Entonces Pedro, descendiendo a donde estaban los hombres que fueron enviados por Cornelio, les dijo: He aquí, yo soy el que buscáis; ¿cuál es la causa por la que habéis venido?» **(Hechos 10:19-21)**.

Claramente el Espíritu Santo fue quien dirigió a Pedro hacia la casa de Cornelio. Ese era uno de los secretos de su poder. Pedro tenía su oído abierto al Espíritu Santo. En este punto puedo decirte que, para operar en lo sobrenatural de Dios es clave poder escucharlo. He visto muchos milagros acontecer cuando escucho la voz del Espíritu Santo.

Cuando Pedro llegó a la casa de Cornelio, mientras él predicaba, el poder del Espíritu Santo descendió sobre todos.

«Mientras aún hablaba Pedro estas palabras, el Espíritu Santo cayó sobre todos los que oían el discurso. Y los fieles de la circuncisión que habían venido con Pedro se quedaron atónitos de que también sobre los gentiles se derramase el don del Espíritu Santo. Porque los oían que hablaban en lenguas, y que magnificaban a Dios. Entonces respondió Pedro: ¿Puede acaso alguno impedir el agua, para que no sean bautizados estos que han recibido el Espíritu Santo también como nosotros? Y mandó bautizarles en el nombre del Señor Jesús. Entonces le rogaron que se quedase por algunos días» **(Hechos 10:44-48)**.

Este es el resultado que tendremos si permitimos que el Espíritu Santo nos dirija. Su poder caerá donde quiera que el Espíritu Santo nos envíe.

Elías y Pablo

*«Cuando llegó la hora de ofrecerse el holocausto, se acercó el profeta Elías y dijo: Jehová Dios de Abraham, de Isaac y de Israel, sea hoy manifiesto que tú eres Dios en Israel, y que yo soy tu siervo, y que **por mandato tuyo he hecho todas estas cosas**. Respóndeme, Jehová, respóndeme, para que conozca este pueblo que tú, oh Jehová, eres el Dios, y que tú vuelves a ti el corazón de ellos. Entonces cayó fuego de Jehová, y consumió el holocausto, la leña, las piedras y el polvo, y aun lamió el agua que estaba en la zanja. Viéndolo todo el pueblo, se postraron y dijeron: ¡Jehová es el Dios, Jehová es el Dios!»* **(1 Reyes 18:36-39)**.

Cuando el fuego descendió todo el pueblo cayó de rodillas y dijo: «Jehová es el Dios». Esa demostración de poder puso a una nación de rodillas. Hoy en día, muchas iglesias no han podido alcanzar a su pueblo. Y hasta que la iglesia no manifieste el poder de Dios, sus resultados serán escasos.

La predicación del evangelio debe ser realizada con señales y milagros en el poder del Espíritu Santo. Este era el secreto del éxito del Apóstol Pablo. La Biblia lo relata de la siguiente manera:

«Y ni mi palabra ni mi predicación fue con palabras persuasivas de humana sabiduría, sino con demostración del Espíritu y de poder, para que vuestra fe no esté fundada en la sabiduría de los hombres, sino en el poder de Dios» **(1 Corintios 2:4-5)**.

«Porque no osaría hablar sino de lo que Cristo ha hecho por medio de mí para la obediencia de los gentiles, con la palabra y con las obras, con potencia de señales y prodigios, en el poder del Espíritu de Dios; de manera que desde Jerusalén, y por los alrededores hasta Ilírico, todo lo he llenado del evangelio de Cristo» **(Romanos 15:18-19)**.

«Con todo, las señales de apóstol han sido hechas entre vosotros en toda paciencia, por señales, prodigios y milagros» **(2 Corintios 12:12)**.

Nunca te muevas por instinto, sino por revelación.

Cuatro principios para caminar en lo sobrenatural

En la oración que hizo Elías se encuentra el secreto de este hombre de Dios. Él dijo «por mandato tuyo he hecho». O sea, que Elías tuvo una revelación de Dios antes de que tuviera una manifestación.

Estos son los tres principios que te ayudarán a caminaren lo sobrenatural:

- No habrá manifestación si no hay revelación.

- No habrá revelación si no hay intimidad.

- No habrá intimidad si no hay una vida de oración.

> *La oración trae intimidad. La intimidad trae revelación. La revelación trae manifestación.*

Muchos hoy en día quieren manifestación sin revelación, quieren revelación sin intimidad, y quieren intimidad sin oración. Pero cuando caminas en estos tres principios, el poder de Dios estará seguro.

Elías no fue donde estaba la viuda a multiplicar la harina porque se le ocurrió, sino que lo enviaron. El mismo Jesús dijo: «muchas viudas había en Jerusalén, pero solo a una fue enviado Elías», dando a entender que el hombre de Dios debe ser enviado y direccionado por Él.

Lo que multiplicó la harina y el aceite en la casa de la viuda no fue la presencia de Elías, sino la presencia del que lo envió, el Espíritu Santo. Lo que produjo el cambio en esa casa fue que alguien llegó con una palabra revelada.

En esos tiempos a solas, en intimidad, tendrás dirección para poder ver la manifestación de Dios.

> *Solo el que camina bajo dirección divina,*
> *tiene manifestación segura.*

¿Cuál fue el secreto del poder de Moisés?

El secreto del poder de Moisés es que fue enviado. Él estaba pastoreando ovejas y de pronto, vio el pequeño árbol, aquella zarza, arder en fuego. Leámoslo juntos:

«Apacentando Moisés las ovejas de Jetro su suegro, sacerdote de Madián, llevó las ovejas a través del desierto, para que vaya a Faraón, y saque de Egipto a los hijos de y llegó hasta Horeb, monte de Dios. Y se le apareció el Ángel de Jehová en una llama de fuego en medio de una zarza; y él miró, y vio que la zarza ardía en fuego, y la zarza no se consumía. Entonces Moisés dijo: Iré yo ahora y veré esta grande visión, por qué causa la zarza no se quema. Viendo Jehová que él iba a ver, lo llamó Dios de en medio de la zarza, y dijo: ¡Moisés, Moisés! Y él respondió: Heme aquí. Y dijo: No te acerques; quita tu calzado de tus pies, porque el lugar en que tú estás, tierra santa es. Y dijo: Yo soy el Dios de tu padre, Dios de Abraham, Dios de Isaac, y Dios de Jacob. Entonces Moisés cubrió su rostro, porque tuvo miedo de mirar a Dios. Dijo luego Jehová: Bien he visto la aflicción de mi pueblo que está en Egipto, y he oído su clamor a causa de sus exactores; pues he conocido sus angustias, y he descendido para librarlos de mano de los egipcios, y sacarlos de aquella tierra a una tierra buena y ancha, a tierra que fluye leche y miel, a los lugares del cananeo, del heteo, del amorreo, del ferezeo, del heveo y

del jebuseo. El clamor, pues, de los hijos de Israel ha venido delante de mí, y también he visto la opresión con que los egipcios los oprimen. Ven, por tanto, ahora, y te enviaré a Faraón, para que saques de Egipto a mi pueblo, los hijos de Israel. Entonces Moisés respondió a Dios: ¿Quién soy yo Israel? Y él respondió: Ve, porque yo estaré contigo; y esto te será por señal de que yo te he enviado: cuando hayas sacado de Egipto al pueblo, serviréis a Dios sobre este monte» ***(Éxodo 3:1-12)***.

Moisés llegó a Egipto a hacer lo que se le había mandado: señales, milagros y a libertar al pueblo. Cuando eres enviado por Dios para hacer una obra, una misión, ya no caminas con tus propios recursos, sino con los de Dios. Ya no es tu fuerza ni tu capacidad, es la de Dios.

Cuando Dios te envía, te dirige. Él se va a asegurar de que tengas todos los recursos necesarios para que cumplas su propósito. Si Él tiene que poner la naturaleza a tu disposición, lo hará. Tú solo preocúpate por ser dirigido y enviado por Dios. Él busca personas que le obedezcan.

En una ciudad, una empresa colocó un anuncio que decía: «Se buscan trabajadores que no sepan hacer nada, pero que obedezcan». Eso es exactamente lo que Dios está buscando, alguien que le haga caso. Moisés obedeció a Dios y fue usado sobrenaturalmente.

El secreto de Felipe

Felipe comenzó sirviendo como diácono y terminó siendo unos de los evangelistas más poderosos de la Biblia. Todo fue resultado de su comunión con el Espíritu Santo. Cuando Felipe fue a Samaria comenzó a predicar de Cristo, y a causa de las señales que ocurrían, toda la ciudad se estremeció.

«Entonces Felipe, descendiendo a la ciudad de Samaria, les predicaba a Cristo. Y la gente, unánime, escuchaba atentamente las cosas que decía Felipe, oyendo y viendo las señales que hacía. Porque de muchos que tenían espíritus inmundos, salían estos dando grandes voces; y muchos paralíticos y cojos eran sanados; así que había gran gozo en aquella ciudad. Pero había un hombre llamado Simón, que antes ejercía la magia en aquella ciudad, y había engañado a la gente de Samaria, haciéndose pasar por algún grande. A este oían atentamente todos, desde el más pequeño hasta el más grande, diciendo: Este es el gran poder de Dios. Y le estaban atentos, porque con sus artes mágicas les había engañado mucho tiempo. Pero cuando creyeron a Felipe, que anunciaba el evangelio del reino de Dios y el nombre de Jesucristo, se bautizaban hombres y mujeres. También creyó Simón mismo, y habiéndose bautizado, estaba siempre con Felipe; y viendo las señales y grandes milagros que se hacían, estaba atónito» (Hechos 8:5-13).

La predicación con señales, como la de Felipe, fue la clave para sacudir a Samaria. Este hombre conocía al Espíritu Santo y su voz. Él tenía el oído afinado para escucharlo.

«Un ángel del Señor habló a Felipe, diciendo: Levántate y ve hacia el sur, por el camino que desciende de Jerusalén a Gaza, el cual es desierto. Entonces él se levantó y fue. Y sucedió que un etíope, eunuco, funcionario de Candace reina de los etíopes, el cual estaba sobre todos sus tesoros, y había venido a Jerusalén para adorar, (...) Y el Espíritu

dijo a Felipe: Acércate y júntate a ese carro» **(Hechos 8:26-27, 29)**.

Felipe tenía una comunión tan profunda con el Espíritu Santo que fue arrebatado por el Espíritu y apareció en otra ciudad. Te animo a que anheles una comunión profunda con el Espíritu Santo, hoy.

Rendido ante Su presencia

«Si él pusiese sobre el hombre su corazón, Y recogiese así su espíritu y su aliento, Toda carne perecería juntamente, Y el hombre volvería al polvo» **(Job 34:14-15)**.

Simplemente, no somos nada sin Él. El éxito de la obra de Dios no depende de ninguno de nosotros, sino mediante la dependencia del Espíritu Santo. Soy un siervo que Dios puede usar solamente porque valoro su voz por encima de otras voces. Nunca debería verme a mí mismo por encima de otros siervos de Dios.

La clave del poder de la iglesia de los Hechos era su rendición ante la presencia de Dios, la dependencia del Espíritu Santo que tenían. Ellos aprendieron a colaborar con el Espíritu Santo, vivían solo para dejarse guiar por Él.

Creo que es tiempo de levantarte y correr a la presencia de Dios. El Espíritu Santo te espera para llevarte a una aventura sobrenatural donde vivirás en un río constante de Su Presencia. No hay lugar para el fracaso cuando eres dirigido por el Espíritu Santo. Él vino para llevarte hacia Su cumplimiento en tu vida.

«Bendito sea el Dios y Padre de nuestro Señor Jesucristo, que nos bendijo con toda bendición espiritual en los

lugares celestiales en Cristo, según nos escogió en él antes de la fundación del mundo, para que fuésemos santos y sin mancha delante de él, en amor habiéndonos predestinado para ser adoptados hijos suyos por medio de Jesucristo, según el puro afecto de su voluntad, para alabanza de la gloria de su gracia, con la cual nos hizo aceptos en el Amado» (Efesios 1:3-6).

Naciste para vivir en Su presencia. Amén.

Capítulo VIII

Mi experiencia con el Espíritu Santo

«Y les dijo: No os toca a vosotros saber los tiempos olas sazones, que el Padre puso en su sola potestad; pero recibiréis poder, cuando haya venido sobre vosotros el Espíritu Santo, y me seréis testigos en Jerusalén, en toda Judea, en Samaria, y hasta lo último de la tierra» **(Hechos 1:7-8)**.

Jesucristo les dijo a los discípulos: «No toca a vosotros saber los misterios del reino de cuándo será la venida del hijo del hombre, pero recibirán poder cuando venga sobre ustedes el Espíritu Santo de Dios». Es más que evidente que el poder de Dios solo es manifestado cuando Su Espíritu está en nosotros y sobre nosotros.

Si lees todas las historias desde Génesis hasta el Apocalipsis, concordarás que, para poder hacer lo que hicieron en el reino de Dios, todas estuvieron bajo la influencia de Su Espíritu. Ese sistema no ha cambiado. No hay forma de caminar en lo sobrenatural sin el Espíritu Santo.

El bautismo del Espíritu Santo es evidente en toda las Escrituras y es necesario. Ya que es una persona real.

Cuando somos bautizados estamos entrando en la primera faceta de lo sobrenatural. Es simplemente uno de los mil escalones que iremos avanzando poco a poco en nuestra dependencia de Él. Y aunque el bautismo no lo es todo, es la apertura para comenzar a conocerlo. Nadie podrá ser efectivo si no tiene el bautismo del Espíritu Santo. Jesucristo dijo: «Quédese en Jerusalén hasta que seáis bautizado con el Espíritu Santo porque yo rogaré al Padre, y Él lo enviará y seréis bautizados».

Y en el día de Pentecostés, cuando el Espíritu de Dios descendió en la reunión de oración, todos fueron llenos del Espíritu y hablaban en otras lenguas, como de fuego. Juan el Bautista dijo: *«Yo a la verdad os bautizo en agua; pero viene uno más poderoso que yo, de quien no soy digno de desatar la correa de su calzado; él os bautizará en Espíritu Santo y fuego» (Lucas 3:16)*. Así debemos anhelarlo con todo nuestro corazón.

Mi búsqueda

Cuando acepté al Señor como mi Salvador tenía alrededor de catorce años. Aquella noche escuché a un predicador que hablaba del infierno, y el Espíritu Santo usó esas palabras para hacerme sentir el terror de lo que viviría si me moría en la condición en la que estaba. El pensamiento de arder en el infierno fue lo que me doblegó para que recibiera a Cristo. No fue porque lo amaba, sino porque no quería ir al infierno.

Al conocerlo, ya no lo servía por esa razón, sino porque lo amaba. Ya no sentía miedo del infierno. Lo seguía por lo que Él era y por lo que había sido revelado a mi vida: mi único amor y mi mejor amigo por toda la eternidad. A través de las enseñanzas y de los estudios bíblicos, comencé a aprender muchas cosas.

Pasados unos pocos meses, me fue difícil mantenerme en la fe, pero me había enamorado tanto de Dios que entendí que debía servirlo. Pasaron días y meses, vino la prueba de la burla de los amigos y un sinnúmero de cosas a las que tuve que renunciar para poder servirle.

En esos días, mi pastora comenzó a darnos una enseñanza acerca del Espíritu Santo. Yo no lo conocía, y empecé a preguntar. Ella me hablaba de la tercera persona de la Trinidad. Me habló del Espíritu Santo según su capacidad, y me dijo: «Tú eres cristiano, pero no todo se detiene ahí, tienes que ser bautizado por el Espíritu Santo de Dios».

Me interesé por ese tema y comencé a buscar y a preguntar por el bautismo a la gente que ya lo había recibido. Ellos me decían: «Sientes algo extraordinario que te cambia, te transforma. Te sientes libre. Te llenas de paz». Cada uno me explicaba su propia experiencia, y yo quería eso que ellos contaban.

En ese tiempo, venía de otra ciudad un muchacho que trabajaba como vigilante nocturno cuidando un edificio que estaba cerca de la playa. Todas las noches iba con él a compartir del Evangelio, porque el Señor ya lo había bautizado. Comencé a rodearme de personas que ya habían sido bautizadas para que me dijeran cómo podía lograrlo.

En ese tiempo, muy pocos eran bautizados, y quienes lo eran, hacía muchos meses que no hablaban en lenguas. Entonces, decidí buscar a alguien que continuara hablando en lenguas y lleno del Espíritu de Dios, para que pudiera darme un consejo de cómo recibir el bautismo del Espíritu Santo.

Comencé a visitar a ese hermano y siempre él oraba por mí. El Espíritu Santo le había dado el don de palabra de sabiduría, el don profético, y Dios me hablaba diciéndome: «Yo soy el que soy. Búscame en lo profundo, y ahí me encontrarás». Así comencé a buscarlo.

Mis preguntas eran: «¿Cómo lo recibiste? ¿Qué hiciste? De qué forma orabas: ¿de rodillas, de espalda, boca abajo, boca arriba? ¿Qué tuviste que hacer?». Entonces respondía: «Solamente búscalo, y Él te bautizará».

En esos días conocí a algunos managers de béisbol que eran cristianos. Uno de ellos me dijo: «Nosotros hacemos vigilias de alabanza y oración hasta el amanecer en los campos y las iglesias. Ahí siempre el Espíritu Santo bautiza». Así que una noche fui con ellos. Caminábamos kilómetros para llegar a la iglesia, pero yo iba ardiendo porque anhelaba ser bautizado por el Espíritu Santo. Pasaba la noche entera cantando, orando y mirando a todos los jóvenes que hablaban en lenguas, menos yo. Todos eran bautizados, y yo regresaba sin nada. Salía el sol a las seis de la mañana, y regresaba desanimado pensando: «Durante toda la noche bautizó a todos, menos a mí». Pero rápidamente me reanimaba a mí mismo diciendo: «Lo voy a conseguir». Entonces les preguntaba cuándo sería la próxima vigilia y me decían: «El próximo viernes». Así asistí vigilia tras vigilia en busca del bautismo del Espíritu Santo. No pude conseguirlo allí, pero el Señor tenía un plan mayor.

Pasaban meses y yo continuaba buscando el bautismo. Anhelaba sentir esos ríos de Dios. El que no lo ha experimentado no se imagina la bendición tan grande que es ser bautizado por el Espíritu Santo. El que lo recibe y se mantiene bajo ese bautismo, será feliz, aunque no tenga nada para comer o dónde dormir.

Como siempre iba a ver a mi amigo para orar juntos. Él era un profeta, aunque nunca lo vi predicar en un púlpito, pero fue a quien Dios usó para hablarme. Cuando nos encontrábamos le decía: «Oye hermano, fui a tal vigilia, a tal culto, a tal evento, y el Señor bautizó a todo el mundo, menos a mí. ¿Será que no quiere darme el bautismo del Espíritu Santo?». Y siempre me respondía: «Continúa buscándolo».

Por fin, llegó el bautismo

Pasaron los meses y yo persistí. Una noche comenzamos a orar y el Señor me habló por medio de mi amigo. El Espíritu de Dios lo tomó, puso su mano sobre mi hombro y me dijo: «Mi siervo, no te preocupes, mañana te voy a bautizar. Mañana derramaré mi Espíritu sobre ti en el culto de la iglesia. Prepárate». Esa noche casi no pude dormir de la emoción. Realmente creí lo que me dijo. «¡Wow! Por fin mañana experimentaré lo que cuenta la gente. Mañana voy a hablar en otras lenguas», fue mi pensamiento constante.

Amaneció, y yo empujaba el día para que llegara la noche. Era un culto de oración. Las horas pasaron y yo me cambié rapidito. Siempre había sido tan vergonzoso que me colocaba la Biblia debajo del brazo, bajo el suéter, y ponía la mano para que nadie la viera porque me daba vergüenza que dijeran que era cristiano.

Cuando no tienes el bautismo del Espíritu Santo, todo te da vergüenza. Eres como Pedro, lo niegas. Pero una vez que fuiste bautizado, cuando te azotan, dices: «Gloria a Dios», porque el Espíritu de Dios te da la capacidad que tú no tienes para soportar y morir por la causa de Jesús.

Recuerdo que llegué a la iglesia y había unas veinte personas, no muchas más. Cuando pisé la iglesia, sentí una gran emoción y a la vez temor. Me escondí debajo del último banco de madera. Yo sabía que, si me llamaban al púlpito, algo me iba a pasar. No quería que me viera mi pastora. Para ese tiempo ella tenía unos setenta años. Se levantó, tomó sus lentes y dijo: «El hermano Juan Carlos que pase al frente a dirigir el culto». Ella no me vio porque yo estaba escondido, pero cuando el Espíritu determina hacer algo, lo hace.

Pasé asustado, era una reunión de oración, y el formato era el siguiente. El que dirigía organizaba diciendo: «La hermana María, por favor, levántese y ore por los jóvenes de esta ciudad». Entonces la hermana oraba y todos se unían a ella. Cuando finalizaba, decía: «Ahora vamos a cantar un coro: "A la victoria Jesús nos llama"». Terminaba el coro y decía: «Ahora, la hermana Josefina, por favor, ore por el culto del domingo».

A la tercera alabanza, algo descendió en esa iglesia. Era como una lava torrencial de fuego que me recorrió desde la cabeza hasta las plantas de los pies. Un torbellino de fuego envolvió todo mi cuerpo, y no pude hacer otra cosa que llorar y hablar en lenguas. Llorar y hablar en lenguas. Llorar y hablar lenguas. Sentí que mi vida fue transformada. No pude continuar dirigiendo el culto. Mi pastora sabía que yo no había recibido el bautismo antes, así que cuando me vio hablando en lenguas, se gozó.

Regresé al último banco y me coloqué debajo, pero ya no de miedo, pero no quería perder lo que había recibido. Desde ahí seguí hablando en lenguas. El culto continuaba, pero yo hablaba tan, pero tan alto, que nadie podía hacer otra cosa que oírme a mí.

Un hombre haitiano, se levantó y trató de taparme la boca, y me dijo: «Cállese», pero no pude, y continué hablando en lenguas. Es peligroso maltratar a un nuevo creyente que no tiene tanto conocimiento, pero que está hambriento por Dios. Al verlo, mi pastora se levantó, lo reprendió, y le dijo: «Cállese usted, y siéntese. No ve que ese muchacho acaba de ser bautizado por el Espíritu Santo».

Regresé a mi casa como flotando en el aire. Parecía que no pisaba la tierra. Sentía que no era el mismo, ya no escondía la Biblia, sino que la levantaba e iba feliz mostrándola. Supe que mi vida había sido transformada, que había vivido una transición de forma extraordinaria. Llegué a mi casa y me acosté.

Por la mañana, cuando me levanté, fui a la escuela. Me sentía importante, emocionado, grande, que lo tenía todo. ¡Claro! Tenía el poder de Dios en mí ahora.

Una relación con el Espíritu Santo

Cuando llegué a la escuela ni siquiera salí al patio en el tiempo de recreo, me quedé en el aula, solo podía pensar en ese bautismo de la noche anterior. Pero, había algo que no entendía, no lo sentía fuera de la iglesia. El Espíritu Santo tuvo que usar una estrategia conmigo. Él solo se manifestaba en mí cuando yo pisaba la iglesia. Entonces me hice adicto a sentir la corriente y el fuego del Espíritu Santo. Me pasaba el día entero deseando que la iglesia abriera sus puertas para sentir lo mismo que la noche anterior. Anhelaba ir a la iglesia, por el fuego que sentía cuando estaba allí.

Durante semanas solo sentía el fuego cuando estaba en la iglesia. Al ingresar al piso del templo, empezaba a hablar en lenguas. Salía de la iglesia y todo volvía a estar normal. ¿Sabes por qué? Porque era un joven muy acelerado y rápido, y el mundo me atraía. Entonces Dios usó eso como un caramelo que me hacía ir a la iglesia todos los días.

Los meses pasaron y cada día era lleno del Espíritu de Dios. Luego comencé a darme cuenta de que había más. Entonces necesitaba entender qué pasaba después del bautismo del Espíritu Santo.

Pasaron meses hasta que Dios comenzó a hablarme acerca de los dones, empecé a estudiar la Biblia, y a interesarme por ver el poder de Dios sanar los enfermos. Entonces comencé a soñar que era un predicador. A ver estadios que se llenaban, yo predicaba y la gente caía. Así comencé a tener visiones. En una de ellas, Dios me enseñó un dólar y me dijo que iba a vivir en ese país, lugar donde hoy vivo.

Con los años me di cuenta de que el bautismo del Espíritu Santo era solo el primer escalón, que había algo mayor que se llama *comunión*. Fue así como comencé a hablar con el que bautiza, a desarrollar una amistad con Él. No sabía que podía ser amigo del Espíritu Santo. Solo me habían enseñado acerca del bautismo, el cual busqué hasta que lo encontré. Pero luego me di cuenta de que podía hablar con Él y responderme. Entendí que podíamos sentarnos en una habitación, preguntarle y Él contestarme. Me di cuenta de que Jesús quería que tuviera comunión con Su Espíritu.

Amigo del Espíritu Santo

Con los años, Dios usó un libro para abrirme los ojos y mostrarme al Espíritu Santo aún más profundamente. Ya no solo como el que llena y bautiza, sino como mi mejor amigo. Ese libro ha bendecido a millones de personas alrededor del mundo y se llama *Buenos días, Espíritu Santo*, escrito por el pastor Benny Hinn. Lo leí en cuatro días, lo devoré.

Cuando tienes hambre de Dios y descubres que alguien tiene lo que tú anhelas, comienzas a imitarlo rápidamente, porque necesitas eso.

Al comenzar a leer acerca de cómo conoció al Espíritu Santo, inmediatamente empecé a hacer lo mismo: a pasar horas a solas con Él. A partir de allí, Él se me fue revelando y lo conocí de forma personal. Ahora era el que me hablaba, me dirigía, era mi amigo.

Descubrí que cuando comienzas a ser amigo del Espíritu Santo, te vuelves poderoso sin darte cuenta, comienzas a operar y a descubrir un nivel sobrenatural a través de esa relación y esa profundidad con Él.

No podría contar en un solo libro todas mis experiencias con el Espíritu Santo. Pero tal vez pueda narrarte algunas. A través de los años comencé a conocerlo y afirmar nuestra amistad.

Cuando todavía vivía en Santo Domingo, fui a predicar a los Estados Unidos durante un mes y medio. Al finalizar las visitas acordadas regresé a mi casa. Mientras viajaba en el avión, de pronto comencé a sentir ese fuego, ese gozo, esa impartición que no se puede describir humanamente y comencé a llorar. La gente me estaba mirando, no sabían qué me sucedía. Pero no estaba llorando de dolor sino porque estaba sintiendo la Presencia de Dios sobre mi vida. El fluir de Dios era tan fuerte que me paré del asiento y fui al baño del avión para poder llorar allí. El poder de Dios me arrebató en ese baño. Escuché Su Espíritu que me dijo: «Yo te levanté en esta generación para que muestres mi poder, para que hables de mi presencia y del poder transformador que hay en la comunión con el Espíritu de Dios». Al Espíritu de Dios no se lo conoce con fuerza ni con ejército, únicamente a través de Él mismo. El tiempo que pasas con Él es lo que te ayuda a conocerlo.

Hace varias décadas que estoy casado con mi esposa Diana. Ella puede estar en cualquier país del mundo, China o Japón, y hablarme en cualquier idioma, y con tan solo escuchar su voz en el teléfono, sé que es ella la que me está hablando. Lo que me llevó a conocer a Diana tan bien es cuando la oigo, cuando la veo, cuando hace un gesto característico de que algo no le gusta, de que algo está mal. No es que yo sea bueno conociendo mujeres, solo conozco la mía. Pero el haber pasado tantos años juntos me enseñaron a conocerla perfectamente. El tiempo que pasas con Dios es lo único que te ayudará a conocerlo y a intimar con el Espíritu Santo.

En ese tiempo, había algo que en mi país llamaban el *tumbaíto*. Esto era cuando ponías la mano sobre alguien para orar por él, y este se caía. No muchos creían en eso. Algunos concilios perseguían esto y decían: «Esa gente del *tumbaíto*, hipnotiza». Resulta que cuando pasas tantas horas con Dios, la unción se incrementa de tal forma que crea una atmósfera alrededor de ti, que todo el que se acerca, puede sentirlo.

Una unción que derriba

Cierta vez comencé a pasar muchas horas en oración con Él. Solamente salía un rato a la tardecita, a hablar. Un día bajé y me senté en la galería de un hermano a hablar. Una bruja que vivía frente a nuestra casa, al verme, se cayó al suelo. En esos días, la gente me llamaba, y yo solamente decía: «Aló». Y automáticamente escuchaba el *Plaf* de la persona que se caía al suelo. Dios me dio una unción que tumbaba. La gente caía desplomada.

Cuando tú lo conoces, es muy fácil predicar con Él. En ese tiempo hacíamos unos retiros que le llamábamos: «La gloria postrera será mayor que la primera». Llegábamos a las ocho de la mañana y nos quedábamos allí hasta las seis de la tarde, solo bebíamos agua. Estábamos hambrientos. Ese día le tocaba predicar a un hermano. Cuando le fui a entregar el micrófono, el Espíritu Santo me dijo: «No quiero que hoy prediquen. Solo quiero que adoren a Jesús. Es todo lo que va a pasar aquí». Pero me dio pena, vergüenza y dije: «Espíritu Santo, como somos amigos, déjame decirte que queda mal que no le dé el micrófono al invitado. Va a pensar que yo quiero brillar.

Que estoy aprovechándome del momento y que no quiero darle la oportunidad. Hagamos un trato. Yo le doy el micrófono, y tú se lo quitas y me lo entregas otra vez». Como Él hizo silencio, yo procedí.

Cuando le entregué el micrófono al predicador, se cayó al piso. Cuando fui a agarrar el micrófono que estaba en su mano, caí al piso yo también. Lo tremendo era que el único que tenía pantalón blanco era yo. Di vueltas y vueltas, tocado por Dios y hablando en lenguas. No me importaba quién me estaba mirando. Tampoco si el pantalón era blanco, amarillo o negro. En ese momento estaba bajo una nube, y te aseguro que, cuando eso sucede, no te importa quién se rio, quién creyó o quién no aceptó. Tú estás disfrutándolo. Recuerdo que mientras estaba en el piso, traté de levantarme, parecía ebrio, mareado, no podía ponerme en pie, estaba sin fuerza. Cuando me levanté, volví a caerme. Era el Señor diciéndome: «Te dije que no le entregaras el micrófono». Me levanté y me volví a caer siete veces, hasta que me quedé en el piso. Pensaba que el único que estaba en el piso era yo, y dije: «Padre, ¡qué vergüenza! El pantalón blanco está negro. El único que está en el piso soy yo». Pero no era solamente yo, el noventa por ciento de la iglesia estaba en el piso también. Los pastores también caían de las sillas. Ese día estuvimos todos casi tres horas en el piso. Nadie pudo predicar. El púlpito estaba solo.

Tuvimos que cargar a hombres y mujeres y enviarlos a sus casas en taxis, porque no podían sostenerse sobre sus piernas. El problema era que no se acordaban la dirección. Estaban tan absortos que no sabían dónde vivían. Al otro día despertaron hablando en lenguas. Estuvieron más de quince horas bajo el poder del Espíritu Santo. Salí de allí diciendo: «Cómo anhelo el próximo retiro». Así fui conociendo día a día al Espíritu Santo.

Recuerdo que me invitaron a predicar a un lugar, porque yo tenía un nivel de corriente, una unción rara, y me decían: *el hombre del tumbaíto*. El pastor preparó a los diáconos y les dijo: «Vamos a vigilar a este predicador. Observaremos cómo tumba la gente», porque decían que yo los mareaba y por esa razón se caían.

Llegué a la iglesia y ese día había pasado más de siete horas solo con el Espíritu Santo, sumergido en Su Presencia. Comencé a predicar y cuando llegó la hora de ministrar, el Espíritu Santo me dijo: «No toques a nadie hoy. Solo vas a hablar por el micrófono». Yo no sabía que la mitad de los diáconos estaba vigilándome, entonces dije: «El Señor me pide que hoy no toque a nadie, que serán tocados por la unción a distancia y van a caer en sus sillas». Hice un gesto con el brazo, y todos se cayeron. Entonces el pastor dijo: «No hay un truco, porque el hombre no le puso la mano a nadie, es el Espíritu Santo de Dios».

Autoridad que sorprende

Una mañana estábamos en un retiro, y cuando estás con Él, adquieres autoridad sobre los demonios. Había estado horas hablando con el Espíritu Santo, oyéndolo a Él, y venía con una unción fuera de lo humano. Ese día cayeron varias personas atadas por demonios. Una de ellas salió corriendo de la iglesia para la calle. Me paré y le grité: «Demonio, paralízate ahí». Inmediatamente se detuvo. «Camina hacia mí», y vino hacia donde yo estaba. «Ahora, corre», y llegó corriendo. «Párate en esa línea», y se quedó ahí. Eran tantos los demonios que debajo de los automóviles caían los endemoniados y el poder de Dios los sacaba de ahí. El Espíritu Santo me dijo: «Hay alguien aquí que vive dudando. Dice que no es verdad lo que tú estás haciendo. Dile a la multitud que le voy a dar una señal para que sepan que "Yo soy el que soy", para que no duden de mí ni de lo que te digo hoy. A esa persona incrédula dile que voy a poner fuego en sus pies». ¡Qué locura! El poder de Dios cayó en el lugar y un joven dio un brinco llorando. Tuvimos que cargarlo y meterlo entero en un tanque de agua. Cuando lo sacamos, tenía todos los pies ampollados porque había fuego en los zapatos y en los pies. Eso sucedió en la iglesia del pastor Isaac Pimentel, en San Pedro de Macorís, República Dominicana.

Yo comencé a caminar en el poder del Espíritu Santo cuando empecé a conocerlo y a tener intimidad con Él. Por eso, yo puedo ir en un avión y si Él me dice: «Regresa», no discuto ni me entristezco por lo que vaya a pensar la persona que me está esperando. Ya que, ¿para qué ir a un lugar si el que va a hacer los milagros no va conmigo?

Me encanta viajar a Colombia, es un país hermoso. Tenía todo listo para viajar y me llamó un pastor para contarme lo siguiente: «Tuve un sueño en el que estabas con un hombre blanco en una reunión para ir a una campaña en Colombia. El hombre blanco me dijo: "Dile que yo soy el que sano, pero que no iré con él"». Al escuchar lo que dijo el pastor, respondí: «Pues, si Él no va conmigo, ¿qué haré yo allá? Tampoco iré yo». Suspendí el viaje hasta que Él me lo confirmara.

Cuando conoces al Espíritu Santo, Él te ayudará a conocer al Padre, a Dios. La mayoría de los cristianos se detienen en el bautismo, en el hablar en lenguas, y no saben hacer silencio. A veces no sabemos callarnos en Su Presencia, y por eso carecemos de dirección. Somos un alto parlante hablando. Dios quiere que lo conozcas y que seas su amigo.

¿Qué pasa cuando te reúnes con alguien que habla mucho y no te da espacio para que le des un consejo o una respuesta? Entonces le dirás: «Deja de hablar y permíteme responderte». No puedes escuchar a Dios mientras estés hablando todo el tiempo. Tienes que aprender a silenciarte en Él, a esperar en Él.

El Espíritu Santo es una persona. La Trinidad tiene tres manifestaciones: como Padre, «Yo soy el que soy», y el monte temblaba porque Dios estaba allí. Jehová, en el Antiguo Testamento. En el Nuevo, es el Hijo, también el «Yo soy». Él dijo: «Yo soy la luz», «Yo soy el camino». Esa fue la dimensión o la dispensación de la segunda persona de la Trinidad manifestándose. Pero la que ahora está aquí, no es la manifestación del Padre ni la del Hijo, sino la del Espíritu Santo. El Padre está en el trono. El Hijo está a su diestra intercediendo. El que está aquí es el Espíritu. El Padre y el Hijo están aquí a través del Espíritu Santo.

Leía en las Escrituras: «Y Dios visitó a Abrahán al calor del día y comió con Él». Al leer esto me llenaba de una buena envidia. Decía: «Cómo me gustaría no haber nacido en este tiempo, sino en aquel». Siempre le dije a Dios: «¿Por qué no me hiciste nacer en aquellos días?», pero me di cuenta de que los tiempos han cambiado, pero el Dios de los tiempos nunca cambia.

Ellos hablaron con el Padre, yo puedo hablar con el Espíritu del Padre. Cuando comencé a conocerlo como persona, me ayudó y me guio en la vida. Como es mi amigo me dijo con quién podía casarme y con quién no. Me suplió para la boda. Desde entonces me ha sostenido. Él es el que me da los mensajes. El que me instruye. El que nos da poder. Él es todo.

Cuando Pedro recibió el bautismo en el capítulo 2 del Libro de los Hechos. Estaban todos unánimes, y de repente, Pedro se levantó hablando en lenguas, en idiomas humanos y luego celestiales. Pero, no se quedó en el bautismo. Luego leemos que Pedro le dijo a Ananías y Safira: «¿Por qué le has mentido al Espíritu Santo?». Pedro demostró que el Espíritu Santo estaba allí.

Cuando Ananías y Safira vinieron con su carita de «yo no fui», el Espíritu Santo estaba mirándolos y le dijo a Pedro que ellos estaban mintiendo. ¿Tú sabes lo que es tener un colaborador con ese poder? Por ejemplo, vas a comprar un automóvil con alguien y cuando estás viéndolo le preguntas cuánto cuesta y si está en buenas condiciones. Él te da un precio falso y te dice que está en buenas condiciones, cuando en realidad, no sirve. Entonces, el Espíritu Santo que es tu amigo y colaborador, que está en todas partes y todo lo sabe, te dice la verdad. Tú puedes decirle al vendedor que es un mentiroso y no comprarle el carro.

Método para sensibilizar la atmósfera

Cuando voy a orar y siento cargada la atmósfera, y por más que trate no percibo la presencia del Espíritu Santo, tengo un método para sensibilizar mi espíritu rápidamente y matar mi lógica. Tomo una silla, la pongo frente a mí, me retiro y digo: «Espíritu Santo, ¿puedes sentarte aquí para que podamos hablar?». Me imagino en fe que el Espíritu Santo está ahí. Me siento y comienzo a decirle: «¿Qué crees acerca de eso?». Hablo con Él. No lo adoro, no intercedo, no clamo, solo le pregunto. Y comienzo a hablarle como a un amigo durante unos minutos. Inmediatamente el clima de mi habitación cambia. Comienzo a sentir el poder de Dios de una forma extraordinaria. Allí escucho Su voz que me dice: «Esto es así, esto no». Esa voz comienza a interactuar conmigo y es impresionante sentir la corriente en la habitación mientras voy hablando. Cuando termina la conversación, ya sé cuál es el mensaje y qué es lo que tengo que hacer. Y cuando me paro en el púlpito, Él hace todo lo que el Padre ha determinado hacer.

Si quieres conocerlo como persona, no lo ignores. Sé consciente de Su Presencia. Tus ojos humanos te hacen creer que estás solo, pero estás rodeado de demonios y de ángeles, aunque no lo creas. Pero el Espíritu Santo está allí contigo. Si Él habló con Pedro, ¿no puede hablar contigo? Si Él le habló a Pablo, ¿no te puede hablar a ti?

Cuando lees acerca de los avivamientos, todos concuerdan en un punto, pasaban horas con Él. Charles Finney, la Calle Azusa, Evans Roberts, ellos buscaban por horas la Presencia de Dios.

Leí todos los libros de Claudio Freidzon, y me alimenté de sus experiencias. Él también lo conoció más profundamente a través del libro *Buenos días, Espíritu Santo*. Un día, él viajó a Estados Unidos para participar de una cruzada de Benny Hinn. Cuando Benny Hinn le impartió, él cayó al piso. Pasó la noche entera llorando, orando, implorando la Presencia de Dios. Cuando llegó a Argentina y estaba en su iglesia, comenzó a predicar. Todavía no sabía la unción que cargaba, levantó su brazo y le dijo a la multitud que estaba ubicada del lado izquierdo: «Bendiciones», y todos cayeron sobre sus asientos al mismo tiempo. Luego, levantó su brazo hacia los del lado derecho, y dijo: «Bendiciones a ustedes», y cayeron al suelo. Lo mismo ocurrió con aquellos que estaban sentados al frente. Los días siguientes había miles de personas haciendo filas de tres y cuatro esquinas para ingresar al segundo y tercer servicio de la iglesia.

Al pastor Ricardo Rodríguez, de la iglesia Avivamiento, de Colombia, le sucedió de la misma forma. Comenzó a pasar horas a solas con el Espíritu Santo, y de pronto llegó el avivamiento. Todos tuvieron la misma clave: pasar tiempo con el Espíritu Santo. Haz tú lo mismo, y Dios, quien no hace diferencia, te lo dará a ti también.

La unción del Espíritu Santo no es para hacer milagros, ni para orar por los enfermos. No es tener un don profético. Es conocerlo a Él, es pasar tiempo con Él. El Espíritu Santo es una persona que oye, habla, ve, se entristece con nosotros y derrama de su gozo. Cuando te subes a un automóvil, tus ojos te hacen creer que vas solo, pero Él está ahí. Háblale y sabrás a lo que me refiero.

Cuando voy a ministrar, Él me pone un sensor en los ojos. Al mirar comienzo a discernir en segundos por el Espíritu, todas las cosas. Lamentablemente hay pastores que no lo conocen. Hay muchos cristianos que no dedican momentos para estar con Él. Tienen problemas con el tiempo, pero para conocerlo es imprescindible dedicarle horas.

Si no estás dispuesto a pasar tiempo con el Señor, con Su Presencia, jamás serás fuerte en Dios, jamás tendrás de Su poder. Debes salir de la niñez espiritual en la que has estado sostenido por alguien. Dependes de ti mismo buscando a Dios. Es tiempo de que conozcas al Espíritu Santo.

Dios hace grandes milagros sobrenaturales a través de mí. Si alguien como yo, está escribiendo que la clave es conocer al Espíritu Santo y pasar tiempo con Él, es porque lo ha comprobado.

Si lo buscas de corazón, Él te instruirá. Puedes ser un niño o un adolescente. No importa la edad. Él te hablará en un lenguaje que podrás entenderlo.

Para donde Él vaya, yo voy

Si el Espíritu Santo viniera esta misma noche y me dijera: «Mi siervo, el tiempo en Kansas finalizó. Ahora iremos a México». Vive Jehová que voy. Dejo la iglesia, y obedezco. Pero nunca me quedaría en un lugar donde Él no esté. Empacaría todo y me voy. Es que entendí que, en la vida del éxito, llegará un momento donde la casa va a ser una casa, el dinero va a ser dinero, el vehículo va a seguir siendo un vehículo, pero el Espíritu Santo es vida, es milagro, es gozo, es salvación, es dirección, es liberación, es todo.

No quiero pasar un día en un lugar de donde Él se fue. Pablo todo lo tenía por basura, por conocer a Cristo. Aprende a sentarte en la Presencia de Dios y a esperarlo.

> *Nunca trates de decirle a Él lo que debe hacer,*
> *trata de descubrir lo que Él quiere hacer.*

Un automóvil regalado

Una vez le dije al Espíritu Santo: «Señor, cada vez que voy a Santo Domingo para predicar, enfrento muchas luchas. Cuando finaliza la reunión, los pastores me dicen: "Gracias hermano, Dios lo bendiga", pero en verdad yo no tengo dónde ir a dormir». Muchas veces me ha tocado amanecer en los pisos de las iglesias. Dios hacía todo tipo de milagros maravillosos durante el servicio, y el pastor sabía que yo no tenía dónde dormir, y me decía: «Varón, nos vemos mañana». De hecho, me iba a la parada y pasaban los automóviles, pero a veces no lograba irme y tenía que regresar y amanecer en el piso de la iglesia, sin siquiera una sábana o colcha.

Entonces le dije:

—Señor, ¿no te da pena verme caminar tantas horas?

—No — respondió.

—Por favor, dame un vehículo, una camioneta para poder ir a predicar. No tengo dinero para comprar una —insistí.

—Bueno, ¿dónde están las camionetas? —me dijo el Espíritu Santo.

—En las concesionarias de vehículos —le respondí.

—Bueno, ve allá entonces. Mira cuál te gusta que yo te la voy a regalar —dijo.

—Señor, la que tú quieras estará bien —le respondí.

—No. Es a ti a quien tiene que gustarle. No soy yo quien la voy a manejar.

—Pues, está bien —respondí.

Busqué un dinero que tenía ahorrado, subí en un autobús pequeño y fui hasta el lugar donde se vendían. Cuando estaba cerca, ya casi llegando, el Espíritu me dijo:

—Baja del autobús una esquina antes.

—¿Por qué Señor?

—Bájate antes. Hazme caso.

Obedecí a su pedido y me dijo: «Te pedí que bajaras una esquina antes para que no te vieran bajando de un autobús». Él todo lo sabe. Cuando iba a entrar a la empresa de venta de automóviles, me dijo: «Cambia la forma de caminar. Pareces un limosnero. Da pasos como si fueras un millonario. Así te prestarán atención». Comencé a caminar lo mejor que pude.

Cuando llegué me puse a mirar una camioneta. Prontamente apareció un vendedor. Yo me había puesto los mejores zapatos que tenía y llegué con estilo. Cuando se acercó le dije que me gustaba esa camioneta, le pregunté el precio, pero era muy costosa para mí. Le dije al vendedor que, si me la rebajaba, se la compraba. El tema era que no llevaba dinero conmigo. El Espíritu Santo me había indicado que primero fuera a buscar la camioneta y que después regresara hasta la habitación a hablar con Él sobre el tema. Y así lo hice.

Regresé a la habitación y le dije: «¿Viste la camioneta que me gustó?». Y así conversamos sobre el tema.

Milagrosamente el Espíritu Santo me proveyó de un dinero, un pago inicial. Lo entregaría para retirar la camioneta y en un plazo de 30 días, pagaría el resto del dinero, casi el 80 % del valor total. Lo asombroso fue que, aunque no tenía un peso encima, de pronto me dieron el vehículo. Me emocioné tanto, que comencé a andar de aquí para allá, y me olvidé del pago que debía hacer a los treinta días. Un día antes lo recordé.

Me preocupé mucho y le dije al Espíritu Santo: «Señor, recuerda que esa tarde, fuiste Tú quien me dijo que fuera a buscar el carro. Por lo tanto, Tú eres quien sabes lo que vas a hacer con esta camioneta. Tú tienes que pagar, pues, sabías que yo no tenía dinero». Estaba desesperado duchándome y hablando con el Espíritu Santo: «Señor, tan bien que se siente conducir ese carro y mañana lo voy a tener que entregar. Tienes que hacer algo, Espíritu Santo. Haz algo, Padre».

Como Él no tiene restricciones ni está sujeto a tiempo ni espacio, habla donde quiera y cuando quiere, y mientras estaba enjabonado escuché al Espíritu Santo que me dijo: «Tranquilo. Acabo de hablarle a una mujer en Inglaterra, y le di la orden de que te envíe dos mil quinientos dólares (lo que me hacía falta), para que pagues la camioneta que yo te regalé. Acabo de hablar con ella (me dio el nombre). Ahora mismo te va a llamar». Cuando dijo «ahora mismo», sonó el teléfono. Salí enjabonado de la ducha, tomé el celular y dije:

—Hermana Ruth, Dios la bendiga. El Señor le habló para que me enviara $2500 dólares, ¿verdad?

—¿Y usted cómo lo sabe?, —me preguntó sorprendida.

—Porque el Espíritu Santo me lo reveló.

Al siguiente día, ella me envió el dinero y pude completar el pago del carro.

Palabras finales

Si este libro llegó a tus manos es porque el Espíritu Santo así lo quiso. No es coincidencia que lo estés leyendo. Creo que, a partir de esta lectura, tus días serán alterados. Vienen momentos sorprendentes para tu vida donde conocerás al Espíritu Santo como a un amigo. En este momento, Él está a tu lado, esperando que le hables.

¡Anímate! Llámalo, háblale.

Él es tu amigo, tu maestro, tu ayudador.
Él es tu guía, tu consolador.

Oro para que, desde hoy, tú y el maravilloso Espíritu Santo sean amigos inseparables para siempre.

ACERCA DEL AUTOR

JUAN CARLOS HARRIGAN

El evangelista Juan Carlos Martínez Harrigan recibió a Cristo como su Salvador a la edad de 14 años, en San Pedro de Macorís, República Dominicana, un pueblo característico por dar grandes jugadores de beisbol. A esa edad ya se dedicaba a jugar ese deporte y cuatro años más tarde recibió el llamado de Dios para dedicarse por completo al ministerio de evangelista.

Esto ocurrió por medio de un sueño, donde el Señor le permitió ver cómo jugando beisbol en un estadio, donde había multitudes de fanáticos, de pronto los jugadores desaparecían del terreno de juego, y él quedaba solo y cómo su ropa de deportista era transformada en un traje, el bate de beisbol se convertía en un micrófono y las multitudes eran cambiadas en personas con su Biblia en mano.

En el sueño, Dios le permitió ver cómo, mientras señalaba a la multitud, las personas caían al suelo bajo el poder del Espíritu Santo, provocando un ardor en su corazón por llevar el Evangelio a todos los que conocía, y más tarde, al mundo entero.

Desde entonces, ha estado ministrando la Palabra del Señor. Primero en los campos, luego en los pueblos, y actualmente, Dios le ha permitido llegar a Centro, Suramérica, Estados Unidos y parte de Europa.

Conforme a una revelación dada por Dios, donde le decía cómo su ministerio iba a crecer y a contar con la presencia del Espíritu Santo a donde él fuera, Dios iba a respaldarlo con señales, maravillas y prodigios.

Hasta el día de hoy, Dios ha mantenido Su Palabra. Por lo cual, el evangelista reconoce que él es simplemente un instrumento en las manos del Señor, en donde Dios hace conforme a Su gloria, poder y majestad.

A medida que el Espíritu de Dios se manifestaba a su vida, una necesidad surgió en su espíritu y esta era la de impactar a las naciones con la gloria del Señor, de arrebatar de las manos de Satanás las almas, y traerlas al reino de Jesús. De aquí nace el nombre de su ministerio: *Impacto de Gloria.* Él cree firmemente que el ser humano solo necesita ser impactado por la gloria de Dios para que su vida sea transformada, permitiéndole experimentar una comunión íntima con su Creador. Comunión que lo capacitará para vivir una vida de abundancia y de victoria.

CENTRO DE AVIVAMIENTO
«CASA DE DIOS PARA LAS NACIONES»

Una casa guiada por el Espíritu Santo

Casa de Dios para las naciones es una iglesia llena de la presencia de Dios y guiada por el Espíritu Santo con la meta de llevar las almas a los pies de Cristo y restaurar a los quebrantados de espíritu.

Somos una plataforma y modelo a seguir que alcanza a miles de personas en el mundo a través de los medios de comunicación y redes sociales. Más que una iglesia, ¡somos una gran familia!

CONTÁCTANOS:

 1015 Minnesota Ave. Kansas City (Kansas)

+1 (913) 549-3800 USA

 libros@juancarlosharrigan.com

www.juancarlosharrigan.com

Visita a Juan Carlos Harrigan por:

Pastor Juan Carlos Harrigan

Juan Carlos Harrigan Oficial

Juan Carlos Harrigan Oficial

Made in United States
Orlando, FL
11 September 2024

51404370R10111